KNISTER

Hexe Lilli und das Geheimnis der versunkenen Welt

Birgit Rieger
lebt und arbeitet in Berlin. Als freischaffende Grafikerin gestaltet und illustriert sie Bücher für Kinder und Jugendliche.

KNISTER

Hexe Lilli und das Geheimnis der versunkenen Welt

Mit Illustrationen von
Birgit Rieger

Arena

In neuer Rechtschreibung

Sonderausgabe 2005

Einband- und Innenillustrationen: Birgit Rieger
Gesamtherstellung: Westermann Druck Zwickau GmbH
ISBN 3-401-05818-5

www.arena-verlag.de

Dieses Buch enthält zwei zauberhafte Unterwasser-tricks. Warte nur ab, bis du am Ende des Buches angekommen bist!

Das ist Lilli, die Hauptperson unserer Geschichte. Sie ist ungefähr so alt wie du und sieht aus wie ein gewöhnliches Kind. Das ist sie eigentlich auch . . . aber doch nicht ganz. Lilli besitzt nämlich etwas, was überhaupt nicht gewöhnlich ist: ein Hexenbuch!
Eines Morgens fand Lilli es neben ihrem Bett. Wie ist es da wohl hingekommen? Keine Ahnung. Lilli weiß nur, dass die schusselige Hexe Surulunda Knorx das Buch aus Versehen liegen lassen hat. Und sie weiß, dass echte Zaubereien und wilde Hexentricks in dem Buch stehen. Einige davon hat Lilli schon ausprobiert. Aber aufgepasst:

Versuche lieber nicht Lillis Hexereien nachzumachen!

Hast du nur ein Wort falsch gelesen,
wird Zahnbürste zum Hexenbesen.
Aus Lehrerin wird böser Schurke,
aus Eis am Stiel wird saure Gurke.

Vorsichtshalber hat Hexe Lilli niemandem von ihrem tollen Buch erzählt. Sie ist sozusagen eine echte Geheimhexe.
Auch vor ihrem kleinen Bruder Leon hält sie das Hexenbuch geheim. Das ist gar nicht so einfach, denn Leon ist sehr neugierig und kann manchmal ziemlich nervig sein.

Lilli hat ihn aber trotzdem sehr lieb.
So . . . und jetzt kann der Lesespaß losgehen!

1. Kapitel

Lillis Herz pocht wild. Sie ist ganz aufgeregt.
»Aber das gibt's doch nicht«, stammelt sie. »Dass ich das jetzt erst bemerkt habe.« Ungläubig blättert sie in ihrem geheimen Hexenbuch hin und her. Und was hat sie entdeckt? Nun, im Hexenbuch gibt es zwei Seiten, die so fest zusammengeklebt sind, dass Lilli sie nicht auseinander bekommt.

Oder sind es sogar mehrere? Eigentlich kein Grund, sich so aufzuregen, denn das Hexenbuch ist wirklich dick. Lilli würde zwei Leben brauchen, um alle Hexentricks und Zaubereien aus dem Buch auszuprobieren. Aber wie das so ist . . . ausgerechnet die paar Seiten, die sie nicht lesen kann, interessieren Lilli natürlich am allermeisten.

Zu gern würde sie die verklebten Blätter einfach auseinander reißen, aber ob sich dann noch lesen lässt, welche Zaubersprüche dort versteckt waren?

»Frage mich, welcher Trottel die zusammengeklebt hat . . .«, schimpft Lilli vor sich hin und versucht mit ihrem Taschenmesser die Seitenränder aufzuspalten. Sie kann nur ahnen, wer schon alles aus diesem Buch gezaubert hat. Schließlich handelt es sich um ein echtes

Hexenbuch, das sicher durch viele Hexenhände gegangen ist.
»Vielleicht hat eine verfressene Hexe mit teuflisch klebender Hexenmarmelade herumgekleckert oder Vampirblutspagettisoße darauf gemanscht. Zu blöd!«, murmelt Lilli. Aber es hilft nichts. Die Seiten bleiben verschlossen. Lilli steckt die Nase tief ins Buch und schnuppert. Ein wundersamer, fremder Geruch strömt aus dem zugeklebten Kapitel. Verführerisch und verlockend – ein Duft, wie Lilli ihn noch nie erlebt hat. Tief saugt sie das Aroma in sich auf. Aber dann wird sie von einem Geräusch im Flur aufgeschreckt. Mit einem Blick zur Tür versichert sich Lilli, dass sie ungestört bleiben wird. Die Klinke ist von innen mit einem Stuhl gesichert. Sie lässt sich nicht hinunterdrücken. Schließlich ist Lilli eine Geheimhe-

xe und will es auch bleiben. Ein Lächeln huscht über ihr Gesicht. Wenn sie jemand beobachten würde, wie sie mit der Nase über die Buchseiten rutscht . . . derjenige würde sie sicherlich für verrückt erklären. Aber schließlich kann ja auch niemand ahnen, was für ein außergewöhnliches Buch Lilli da in ihrem Besitz hat. Es ist nämlich wirklich so, dass manche der im Hexenbuch verzeichneten Zaubersprüche einen passenden Geruch verströmen. Genau genommen stinken die meisten Sprüche geradezu. So etwa der Feuerzauber, mit seinem unangenehm stechenden Brandgeruch, oder der Rachehex, der schlimmer stinkt als ein Paviankäfig im Zoo an einem heißen Sommertag. Der Liebeszauber dagegen duftet zart nach Veilchen. Natürlich gibt es auch Zauberanweisungen, die

nicht riechen, wie zum Beispiel der Polterzauber.
Noch einmal schnuppert Lilli an den verklebten Seiten. Mmh . . . wie verlockend sie duften! Frisch wie der zarte Hauch einer Meeresbrise und würzig wie frisch geschnittenes Gras auf einer Pferdekoppel. Lieblich wie Maiglöckchen im lauen Frühlingswind und abenteuerlich wie Ananas oder der Duft von schwerem Segeltuch. Es ist wie verhext: Lillis Wunsch, gerade diese Seiten zu lesen, wird immer stärker.
Welcher Zauber wohl von diesem Duft ausgeht?

»Lilli! Aufmachen!« Das ist Leon. Er bollert von außen heftig an Lillis Zimmertür.

»Nicht schon wieder!«, ruft Lilli. »Kannst du mich nicht einmal in Ruhe lassen?!«

»Das musst du dir ansehen!« Leon lässt nicht locker. »Ich habe Kugelschnee. Mama hat ihn mir auf dem Trödelmarkt gekauft.«

»Lilli?«, tönt jetzt auch Mamas Stimme aus dem Flur.

Ruck, zuck versteckt Lilli das Hexenbuch wieder unter ihrem Bett, zieht dann noch blitzschnell den Stuhl unter der Klinke weg und angelt sich irgendein Buch aus dem Regal, mit dem sie sich aufs Bett wirft. Als Mama ins Zimmer kommt, trifft sie Lilli scheinbar gelangweilt auf dem Bett liegend an.

»Warum bollert Leon so an der Tür herum?«, fragt sie vorwurfsvoll.

»Das solltest du Leon fragen«, antwortet Lilli schnippisch und zuckt mit den Schultern.

»Aber es war abgeschlossen!«, versucht Leon sich zu verteidigen.

»Erstens kann nicht abgeschlossen gewesen sein, weil ich gar keinen Schlüssel habe, und zweitens . . .«

Lilli hält mitten im Satz inne, weil ihr plötzlich zwei großartige Gedanken kommen, die nur bedingt etwas mit Lillis Zimmertür zu tun haben: Als Erstes schießt ihr durch den Kopf, dass sie das nächste Mal die Tür einfach zuhexen könnte. Im Buch findet sich sicherlich ein Zauberspruch dafür. Ihr zweiter Gedanke ist ihr aber viel wichtiger: Wenn man eine Tür zuhexen kann, kann man sie natürlich auch aufhexen – und wenn man eine Tür oder ein Schloss aufhexen kann, warum sollte man dann nicht auch ein paar zugeklebte Seiten aufhexen können?

»Und zweitens?«, reißt Mama Lilli aus ihren Überlegungen.

»Ist doch egal«, sagt Lilli kurz. »Es ist doch wohl nicht verboten, sich vor einer kleinen Nervensäge in Sicherheit zu bringen.«

»Jetzt streitet euch doch nicht. Schließlich will Leon dir nur zeigen, was wir gerade auf dem Trödelmarkt für ihn gefunden haben. Das ist doch lieb gemeint.«

Lilli verdreht die Augen. Natürlich hat Mama Recht. Aber Lilli steht der Sinn nun einmal nach wichtigeren Dingen als nach Leons Mitbringsel.

»Los! Zeig schon«, sagt sie schließlich. Leon lässt sich nicht lange bitten.

»Mein Kugelschnee!«

»Schneekugel muss es heißen«, sagt Lilli, nimmt Leon das Plastikding aus der Hand und schüttelt es heftig. Dann beobachtet sie das Treiben in der kleinen Kugelwelt.
Dicke Schneeflocken schneien auf eine Winterlandschaft aus Bergen, Häusern und Bäumen herab.
»Sieh mal, auch die Kuh wird eingeschneit!«, ruft Leon begeistert. »Echter Unterwasserschnee. Wie in einer Welt unter Wasser.«

»Das Wasser ist doch nur deshalb in der Halbkugel, damit die weißen Flocken nach dem Schütteln schön langsam heruntersinken. Wie Schneegestöber eben«, erklärt Lilli. Aber auch sie ist beeindruckt. Entzückt lässt sie die Flocken erneut tanzen. Wild wirbeln sie durcheinander.

»Gib wieder her!«, ruft Leon.

»Als ich ein Kind war, hatte ich auch so eine Kugel«, sagt Mama und beugt sich zu den beiden herab. »Meine Kugel war aber etwas ganz Besonderes.«

»Meine auch!«, protestiert Leon.

»Na klar. Ist sie auch!«, sagt Mama und streicht ihm über den Kopf.

»Und was war an deiner Schneekugel so besonders?«, will Lilli wissen.

»Nun, sie war eigentlich keine Schneekugel, sondern eine Glitzerkugel.«

»Glitzerkugel?«
»Es war kein Schnee darin, sondern feiner Glitzerstaub. Der rieselte dann auf eine richtige Unterwasserwelt. Die bestand aus einem Korallenriff, einem versunkenen Segelschiff und einem kleinen Seepferdchen. Aber das Tollste in der Kugel war Atlantis, die versunkene Stadt.«
»Von Atlantis habe ich schon einmal gehört«, ruft Lilli.
»War das nicht eine Stadt, die vor vielen, vielen Jahren im Wasser versunken ist?«
Mama nickt: »Genau. Vor über zehntausend Jahren. Manche behaupten sogar, es war ein ganzer Kontinent.«
»Was ist ein Kontinent?«, fragt Leon, ohne den Blick vom tanzenden Schnee abzuwenden.
»Ein Kontinent ist viel größer als eine Stadt. Und größer als ein Land«, erklärt

Lilli. Dann bedrängt sie Mama: »Erzähl! Erzähl von Atlantis!« Mama lacht und sagt: »Viel kann ich darüber nicht erzählen. So gut weiß ich auch nicht Bescheid.«

»Aber du hast doch die Kugel gehabt!«, quengelt Leon. »Erzähl von dem Glitzerdingsbums unter Wasser!«

»Was weißt du von Atlantis?«, lässt auch Lilli nicht locker.

»Ich sag doch, ich weiß nicht viel«, wiederholt Mutter. »Ich will mein Bestes versuchen, aber erst nach dem Abendbrot, wenn Leon im Bett liegt.

Sonst wird es zu spät.«

»Eine Atlantis-Gutenachtgeschichte! Ich deck schon mal den Tisch!« Leon hat es mit einem Mal richtig eilig. Lilli und Mama folgen ihm in die Küche.
»Was ist aus deiner Glitzerkugel geworden?«, will Lilli noch wissen.
»Sie ist mir heruntergefallen und das Glas bekam einen Sprung. Dann ist das Wasser ausgelaufen und nach einiger Zeit wurde das Innenleben unansehnlich. Ich weiß nicht mehr, wo sie geblieben ist.«
»Schade«, sagt Lilli.
»Früher gab es die verschiedensten Arten von Schneekugeln. Meine Freundin hatte auch eine. In der wohnten Pinguine und eine Eisbärfamilie. Wir hatten so viel Spaß damit. Heute haben die Kinder Fernsehen . . .«
»Schade«, sagt Lilli.

»Jetzt übertreib aber nicht!«, lacht Mama. Nach dem Abendessen geht Lilli in ihr Zimmer. Sie ist richtig im Zwiespalt. Eigentlich möchte sie gleich nach dem Aufmachzauber suchen. Aber dann verpasst sie womöglich Leons Gutenachtgeschichte von Atlantis . . .

Kurz zögert sie noch, dann springt sie auf. Das Hexenbuch kann warten – Mamas Erzählung vom versunkenen Kontinent nicht.

Schnell huscht Lilli ins Bad und macht sich für die Nacht fertig. Und gerade noch rechtzeitig erscheint sie im Schlafanzug in Leons Zimmer und setzt sich auf die Bettkante.

Mama beginnt zu erzählen: »Es gibt die verschiedensten Geschichten über Atlantis. Leider nur mündliche Überlieferungen. Das heißt, man hat keine Berichte von Augenzeugen. Alle, die von Atlantis berichtet haben, kannten es nur aus Erzählungen. In einem stimmten die Aussagen überein. Atlantis war wohl ein Kontinent oder eine riesige Insel. Wo es genau lag, da gehen die Meinungen auseinander. Vermutlich irgendwo in den unendlichen Weiten des Atlantischen Ozeans.«

»Das ist doch klar«, wirft Lilli ein. »Atlantis und Atlantischer Ozean.«

»Die Bewohner von Atlantis waren technisch viel weiter entwickelt als der Rest der Welt. Leider weiß man nicht, was von den mündlichen Überlieferungen Wahrheit und was Phantasie ist, weil manche Geschichtsschreiber wohl etwas übertrieben haben. Aber es gibt alte Zeichnungen und Gemälde, auf denen Bewohner von Atlantis abgebildet sind, die mit luftschiffartigen Ballons fliegen. Und die prunkvollen Gebäude und Städte, in denen die Leute lebten, waren sicherlich nicht ohne mechanische Hilfen wie Baukräne und Steinschneidewerkzeuge zu errichten. Wahrscheinlich wussten die Menschen schon vor tausenden von Jahren elektrischen Strom zu nutzen. Also müssen sie auch Kraftwerke betrieben haben.«

»Vermutlich mit Sonnenkraft«, mutmaßt Lilli.

»Ganz bestimmt haben sie mit der Natur im Einklang gelebt, denn das Wort Umweltschutz ist nirgendwo überliefert. Das ist eine Wortschöpfung, die erst in unserem Zeitalter notwendig wurde.«

»Konnten sie auch mit Raketen fliegen?«, will Leon wissen.

»Wahrscheinlich. Es gibt in Felsen geritzte Höhlenzeichnungen, die ebenfalls tausende von Jahren alt sind, auf denen man Menschen in raketenartigen Fluggeräten abgebildet findet.

»Was? Das gibt's doch nicht!« Lilli bleibt der Mund offen stehen. »Vor tausenden von Jahren hat man schon von Raketen gewusst? Wer hat diese Bilder denn gemalt?«

»Diese Wandmalereien wurden geschaffen von Menschen einer anderen, ebenfalls untergegangenen Kultur: von den Maya.«

»Maja! Die kenne ich!«, ruft Leon begeistert. »Biene Maja. Von der habe ich sogar Kassetten!« Schon springt Leon aus dem Bett und angelt in seiner Wühlkiste, um nach der Kassette zu suchen.

Lilli und Mama lächeln sich viel sagend an.
»Und die Maya sind auch im Meer versunken?«, fragt Lilli.
»Nein«, erklärt Mama. »Von den Maya ist viel mehr überliefert. Über sie weiß man recht gut Bescheid. Sie lebten in Südamerika. Ungefähr dort, wo heute Mexiko ist. Auch die Maya hatten eine sehr hohe

Kultur. Auf dem Gebiet der Medizin zum Beispiel waren sie so weit entwickelt, dass sie im Stande waren, Operationen am Gehirn vorzunehmen. Von ihnen wissen die Wissenschaftler viel mehr als von dem sagenhaften Atlantis. Die Kultur von Atlantis ist ja auch noch viel älter . . .«

»Und warum ist das alles ausgestorben?«, fragt Lilli.

»Wenn man das nur wüsste. Vielleicht durch Naturkatastrophen. Von Atlantis sagt man, dass es ganz und gar im Meer versunken ist. Darum finden sich auch absolut keine Spuren mehr. Bei den Maya ist das anders. Da hat die Wissenschaft richtig was zu forschen und wird auch sicherlich irgendwann zu genaueren Ergebnissen kommen.«

»Wenn sie sogar mit Raketen fliegen konnten . . .«, sagt Lilli tief beeindruckt.

»Da ist man sich nicht einig. Man stellt verschiedene Vermutungen an. Denkbar wäre ja auch, dass die Maya oder die Bewohner von Atlantis Besuch von Außerirdischen hatten. Das würde erklären, warum sie solche Bilder malten, auch wenn sie selbst nicht im Stande waren, Raumschiffe zu bauen.«

»Wahnsinn«, stammelt Lilli. »Einfach Wahnsinn.«

»Hier, ich hab's!«, jubelt Leon. »Biene Maja und ihr Freund Willi.«

»Mann, du bist ja echt ein cleveres Kerlchen«, lobt Lilli ihren Bruder, der das mit der Kultur der Maya offensichtlich überhaupt nicht verstanden hat. »Die Kassette musst du mir unbedingt mal ausleihen.«

»Wenn sie nicht zu spannend für dich ist«, albert Mama augenzwinkernd. »Ich denke, es ist aber jetzt an der Zeit, schlafen zu gehen.«

»Darf ich denn noch die Kassette hören?«, quengelt Leon.

»Meinetwegen«, sagt Mutter, schiebt die Kassette in den Rekorder und gibt Leon einen Gutenachtkuss. »Ich muss noch kurz in die Nachbarschaft. Ich habe Elke versprochen, dass ich ihr rasch ihre Computerdisketten zurückbringe. Lilli ist ja hier – falls was ist. Ich halte mich nicht lange auf und dann schau ich später noch mal nach dir.«

Schon macht Mama sich auf den Weg. Auch Lilli hält es nicht länger in Leons Zimmer. Die aufregendsten und abenteuerlichsten Phantasien schwirren ihr durch den Kopf. Könnte man nicht mit Hilfe des Hexenbuches . . .?

Lilli geht in ihr Zimmer. Auf dem Weg

dorthin tönt ihr noch die Eröffnungsmelodie von Leons Biene-Maja-Kassette hinterher. Dort heißt es im Text: »In einem wunderschönen Land . . .«

2. Kapitel

Natürlich geht Lilli nicht ins Bett. Sie würde am liebsten zwei Dinge gleichzeitig tun. In die Bücherei gehen und nach Büchern über Atlantis schauen und versuchen die zugeklebten Seiten auseinander zu hexen. Klar, dass die Bücherei um diese Tageszeit geschlossen ist. Also raus mit dem Zauberbuch. Vorsichtshalber verrammelt sie mit dem Stuhl wieder ihre Zimmertür. Dann legt sie das schwere Buch aufs Bett, kniet sich davor und blättert.
Im Buch sind alle Hexentricks nach dem Alphabet geordnet, darum findet Lilli schnell, wonach sie sucht. Unter der Überschrift »Auseinanderzauber« steht: »macht alles auf«. Dann folgen lange Anweisungen für den Zauber. Hastig überfliegt sie den Text. Zum Glück sind für die Durchführung dieser Hexerei keine be-

sonderen Zutaten erforderlich, die Lilli erst besorgen müsste. Lediglich die Fußspitzen der Hexe sollten beim sorgfältigen Aussprechen des magischen Spruchs auseinander weisen. Das ist ja total einfach! Entschlossen liest Lilli die Worte laut vom Blatt.

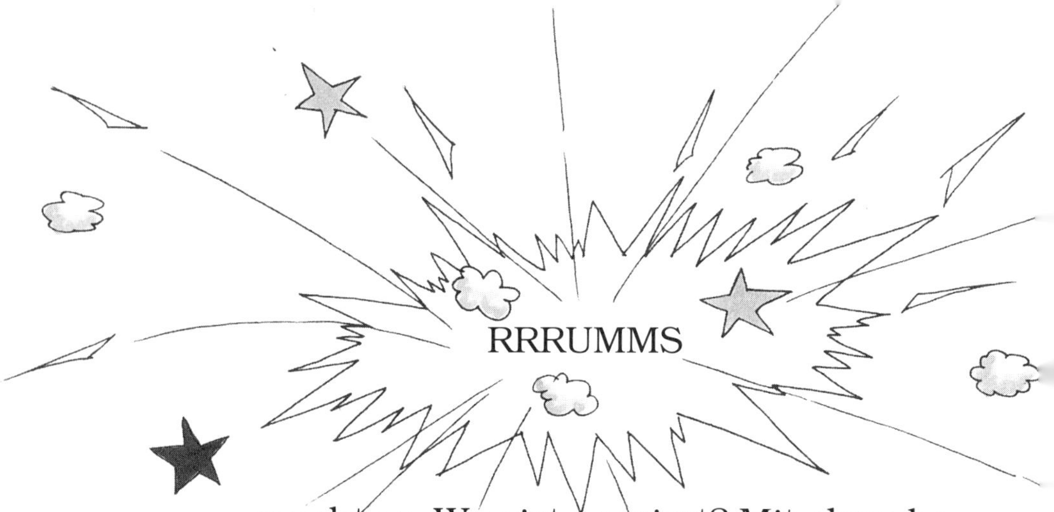

macht es. Was ist passiert? Mit ohrenbetäubendem Lärm zerlegt sich Lillis Zimmereinrichtung in seine Einzelteile. Lilli ist vor Schreck wie gelähmt. Das darf doch nicht wahr sein! Wirklich alles ist in sich zusammengefallen: Der Schrank ist zusammengeklappt, das Bett ist eingefallen, der Stuhl unter der Türklinke auseinander gebrochen, die Tür ist aus dem Rahmen gekippt. Wirklich alles ist auseinander! Selbst Lillis Kassettenrekorder ist in zwei Teile gesprungen. Im Zimmer sieht es aus, als hätte es eine Riesenexplosion gegeben.

Puh! Doch blitzschnell hat Lilli sich wieder gefasst. *Mama! Leon!*, schießt es ihr durch den Kopf. Mama ist zum Glück bei ihrer Freundin, also rasch nach Leon sehen und ihn beruhigen. Lilli klettert über die Tür. Die liegt auf den losen Stuhlteilen. Die Stuhlbeine krachen zur Seite. Überraschung! Im Flur sieht alles ganz normal aus. Auch Leons Zimmertür sitzt ordentlich in ihrem Rahmen. Aber wo Leon nur bleibt? Er muss den Lärm doch gehört haben! Ob ihm vielleicht die Decke auf den Kopf gefallen ist? Vorsichtig öffnet Lilli seine Zimmertür und atmet erleichtert auf. Leon sitzt mit dem Rücken zur Tür – er hat sich die Kopfhörer aufgesetzt. Kein Wunder, dass er nichts

gehört hat. Glück im Unglück. Schnell zurück ins Zimmer. Offensichtlich hat der Zauber nur dort gewirkt, wo man ihn hören konnte. Hastig greift Lilli nach dem Hexenbuch und hält fassungslos eine einzelne Seite in der Hand. Oh nein, auch das Buch hat sich in seine Einzelteile zerlegt. Wenigstens sind die vielen Seiten nicht durcheinander geraten, sodass Lilli den Gegenzauber leicht findet.
Hoffentlich kann sie damit alles wieder rückgängig machen!
Schon weisen ihre Fußspitzen zueinander und sie spricht schnell die magischen Worte.

macht es

und alle Einzelteile fügen sich tatsächlich wieder zusammen. Alle Teile? Nicht ganz. Lilli hält ihr einzelnes Blatt noch in den Händen und auch der Stuhl vor ihrer Tür liegt noch in Einzelteilen da. Sie kombiniert blitzschnell: Wahrscheinlich fügen sich nur *die* Stücke wieder zusammen, die nach dem »Auseinanderzauber« nicht von ihrer Stelle bewegt wurden. So oder so. Lilli ist erleichtert. Die Sache mit dem Stuhl wird sie Mama schon irgendwie erklären können und die lose Seite lässt sich wieder ins Buch kleben. Erst jetzt bemerkt Lilli, dass sie in ihrer Aufregung das Wichtigste vergessen hat: Sie hat nicht nach den zusammengepappten Seiten geschaut. Mist! Trotzdem will Lilli den Zauber nicht noch einmal wagen. Zu gefährlich! Obermist!
Lilli blättert an die betreffende Stelle im

Buch. Die Seiten sind verklebt wie vorher auch. Ob sie wohl kurzzeitig geöffnet waren? Erst jetzt kommt es Lilli in den Sinn, dass die Seiten absichtlich verschlossen sein könnten. Vielleicht ist dort ein besonders geheimer oder gefährlicher Zauber verborgen. Möglicherweise öffnen sich die Seiten bei ganz erfahrenen Hexen wie von selbst.

»Besonders viel Erfahrung habe ich ja leider nicht«, sagt Lilli und steckt die lose Seite zurück an die richtige Stelle im Buch.

Pssst! Was ist das? Mama an der Korridortür. Schnell lässt sie das Hexenbuch in ihrem Versteck unter dem Bett verschwinden. Sie horcht. Mama ist in Leons Zimmer gegangen. Lilli holt sich das Schülerlexikon aus dem Bücherregal. Wenig später klopft es an Lillis Tür.

»Herein!«, sagt Lilli und legt das Lexikon zur Seite.

Mama bemerkt den auseinander gebrochenen Stuhl nicht. Sie entschuldigt sich bei Lilli. »Es hat doch etwas länger gedauert.« Ein Glück, denkt Lilli, aber sie sagt: »Macht doch nichts.«

»Und was liest du noch?«

»Über Atlantis, was sonst. Aber im Lexikon steht auch nicht besonders viel. Nur dass ein Geschichtsschreiber namens

Plato im antiken Griechenland schon vor mehr als zweitausend Jahren etwas über Atlantis aufgeschrieben hat. Seine Aufzeichnungen basieren auf Erzählungen, die noch einmal neuntausend Jahre alt sind. Er soll ziemlich genaue Beschreibungen von den Bewohnern von Atlantis gemacht haben. Die muss ich mir in der Bücherei besorgen. Ich wüsste so gern mehr über dieses versunkene Reich ...«

»Ach, meine Prinzessin«, sagt Mama und streicht Lilli zärtlich über den Kopf. »Wenn du dir einmal etwas vorgenommen hast ...«

»Vielleicht werde ich später Atlantisforscherin.«

»Ich bin stolz auf dich. Aber ich für meinen Teil gehe jetzt schlafen. Du kannst ja noch ein bisschen forschen.« Mama gibt Lilli einen Gutenachtkuss und lässt sie allein. Lilli legt das Lexikon zur Seite und grübelt. Sie würde sich so gern nach Atlantis hexen. Aber wie soll sie das anstellen? In ihrem Hexenbuch steht ein ganz besonderer Trick, der Hexensprung. Damit kann man Zeitreisen in jede beliebige Zeit und an jeden beliebigen Ort machen. Lilli hat durch den Hexensprung schon die tollsten Abenteuer erlebt. Einmal hat sie sich in den Wilden Westen gehext und mit echten Cowboys am Lagerfeuer gesessen, ein anderes Mal im alten Ägypten Mumien in ihren unheimlichen Gräbern aufgestöbert. Sie denkt gern an ihre Zeitreisenabenteuer. Zu dumm, dass sie so nicht auch nach Atlantis kommt. Aber an den Hexensprung ist eine Bedingung geknüpft, die Lilli diesmal unmöglich erfüllen kann: Sie muss einen Gegenstand aus der Zeit haben, in die sie springen will. Diesen Gegenstand muss sie während des Hexensprungs in den Händen halten. In den Wilden Westen gelangte sie durch eine originale, uralte Whiskyflasche aus Bourbontown und in die Pharaonengräber konnte sie sich hexen, weil sie im Museum an Jahrtausende alten Pyramidenstaub gekommen war. Aber von Atlantis hat sie nicht einmal eine genaue Vorstellung und einen Gegenstand schon gar nicht. Lilli legt sich in ihr Bett und versucht angestrengt an Atlantis zu denken, um sich wenigstens dorthin zu träumen. Aber es gelingt ihr nicht. Ihre Gedanken schweifen immer wieder ab, weil ihr auch das Hexenbuch mit den verschlossenen Seiten nicht aus dem Kopf geht. Plötzlich kommt ihr eine Idee. Schnell schlüpft sie aus dem Bett und steht wenig später in Mamas Schlafzimmer. Die schläft zum Glück noch nicht, sondern sie liest.

»Darf ich dich kurz stören? Du kannst mir vielleicht bei einem Problem helfen.«

»Wenn ich dafür nicht aus dem Bett steigen muss, will ich es versuchen.«

»Ich meine ... weil du doch schon oft Sachen auseinander gekriegt hast, bei denen ich es nicht geschafft habe ... Zum Beispiel den verklemmten Reißverschluss von meinem Anorak oder das Schloss vom Sparschwein, als Leon den Schlüssel verloren hatte ...«, druckst Lilli herum. Irgendwie ist es ihr doch nicht ganz geheuer, Mama um Rat zu fragen. Womöglich will sie die verklebten Hexenbuchseiten sehen – und dann?

»Heraus mit dem Problem!«, sagt Mama forsch.
Lilli fasst sich ein Herz: »Wie könnte man zwei festgeklebte Buchseiten auseinander kriegen, ohne dass sie dabei kaputtgehen?«
Mama überlegt. Zum Glück fragt sie nicht, welches Buch sich nicht lesen lässt. Dann macht sie einen Vorschlag: »Du bringst Wasser in einem Kessel zum Kochen. Dann hältst du die verklebten Seiten über die Tülle und lässt den Wasserdampf über das Buch strömen. Vielleicht gehen sie so auseinander. Den Trick habe ich aus einem Krimi. Der Geheimagent hat auf diese Weise heimlich einen Brief geöffnet und ihn dann später wieder zugeklebt, ohne Spuren zu hinterlassen. Niemand hat das unerlaubte Öffnen bemerkt. Wenn es bei Briefen klappt,

kann es vielleicht auch bei Buchseiten hinhauen. Falls du es versuchst, sei aber bloß vorsichtig, an dem heißen Wasserdampf kann man sich schrecklich verbrühen!«

»Danke!«, sagt Lilli, drückt Mama einen Gutenachtkuss auf die Wange und verschwindet schnell in ihrem Zimmer, bevor Mama auf die Idee kommt, lästige Fragen zu stellen. Den Wasserdampftrick will sie erst ausprobieren, wenn sie allein im Haus ist und unbeobachtet. Sicher ist sicher! Lilli lächelt zufrieden.

Das Problem scheint gelöst. Jetzt endlich gelingt es ihr, sich in Gedanken ganz an Atlantis hinzugeben. Wenig später schläft sie ein. Wovon sie wohl träumt?

Am nächsten Tag hat Lilli es ganz eilig, von der Schule nach Hause zu kommen. Sie will den Wasserdampftrick probieren, während Mama Leon aus dem Kindergarten abholt.

Glück gehabt! Die beiden sind noch nicht zurück. Viel Zeit bleibt Lilli nicht. Als Erstes setzt sie den Wasserkessel auf. Dann schleppt sie das schwere Buch in die Küche. Es erscheint ihr wie eine Ewigkeit, bis das Wasser kocht. Endlich! Lilli streift sich ihre dicken Skihandschuhe über und hält die verklebten Seiten in den Wasserdampf. Es scheint zu klappen!

Die Seiten lösen sich zwar nicht ganz, aber sie klaffen immerhin an den Rändern auseinander.
Schnell zurück in ihr Zimmer. Fast gleichzeitig hört Lilli Leon an der Korridortür. Sie schafft es gerade noch, Löschpapier zwischen die aufgequollenen Seitenränder zu legen, damit die bloß nicht wieder zusammenkleben! Schnell das Buch zurück ins Versteck. Uff!!

☆

»Lilli?!«

Das ist Mama, sie ruft aus der Küche. Sofort fällt Lilli ein, dass sie in der Hektik vergessen hat die Herdplatte mit dem Wasserkessel abzustellen! Mist. Was soll sie jetzt sagen?

»Lilli?!«

Angriff ist die beste Verteidigung, denkt Lilli und ruft zurück: »Kocht das Wasser schon?«

»Blöde Frage. Die ganze Küche ist eingedampft!«, schimpft Mama und öffnet das Fenster, um zu lüften.
Geistesgegenwärtig bringt Lilli eine alte Ansichtskarte mit in die Küche.
»Hab nicht gedacht, dass das Wasser so schnell kocht. Sorry!«, entschuldigt sich Lilli. »Wollte nur eben mit deinem Trick die Briefmarke von der Karte lösen.« Lilli hält die Karte in den Wasserdampf.
»Pass auf! Verbrenn dich nicht! Wolltest du nicht Buchseiten lösen?«, will Mama wissen.
»Hab ich schon gemacht. Danke für deinen tollen Tipp. Man sollte beim Lesen eben keine Marmeladenbrote essen.«
Mama beginnt in ihrer Einkaufstasche zu kramen und sagt: »Ich hab uns an der Ecke gegrillte Hähnchen gekauft. So brauch ich nicht zu kochen.«

»Und Tischabräumen geht auch ganz schnell«, sagt Leon begeistert. »Weil wir die Dinger in die Hand nehmen. Da brauchen wir kein Besteck und so.«
»Aber du setzt dich trotzdem an den Tisch!«, mahnt Mama.
Als die drei ihre Hähnchenkeulen essen, verkündet Leon stolz:
»Mama und ich haben es eilig, wir müssen nämlich gleich wieder zum Kindergarten! Wir dürfen helfen das Sommerfest vorzubereiten.«
»Dürfen . . .«, sagt Mama und verdreht die Augen – allerdings so, dass Leon es nicht mitbekommt.
Gute Nachrichten für Lilli. So ist sie den ganzen Nachmittag ungestört.
»Ich hab auch zu tun«, sagt sie und knüllt nach dem Essen das Papier und die Knochenreste in den Mülleimer.

»Ich kann mir schon denken, was du vorhast«, sagt Mama und wirft ihre Essensreste ebenfalls in den Müll. »Atlantis wartet . . .«

»Ja, ja«, sagt Lilli und denkt: Von wegen! Atlantis kann warten – nach über zehntausend Jahren kommt es auf ein paar Tage auch nicht mehr an. Aber die zugeklebten Seiten im Hexenbuch . . .

Nach dem Händewaschen geht sie sofort in ihr Zimmer. Ihre Geduld wird jedoch noch etwas strapaziert, bis Mama und Leon sich endlich verabschieden.

Lilli holt das große, schlanke Brotmesser aus der Küche, aus dem Medizinschränkchen eine Pinzette und aus ihrer Schublade eine Nagelschere und eine Lupe. Dann endlich raus mit dem Hexenbuch! Als Lilli das Löschpapier zwischen den Seitenrändern wegnehmen will, traut sie ihren Augen nicht: Die Seiten lassen sich öffnen, so als wären sie nie zusammengeklebt gewesen. Lilli liest aufgeregt:

»Krötenkacke, Vampirblut,
Hexe, du bist wirklich gut.
Doch die Vorsicht soll dich leiten
beim Rezitieren dieser Seiten.«

Im weiteren Textverlauf wird erklärt, dass sich diese Doppelseite aus Sicherheitsgründen erst beim dritten ernsthaften Versuch, sie zu lesen, öffnen lässt, um sicherzustellen, dass nur erfahrene Hexen sich auf diese Zauberformeln einlassen. Denn nur Hexenprofis sind in der Lage, kleine hexentypische Fehlschläge wegzustecken und sich davon nicht aus der Ruhe bringen zu lassen. Erst wenn

sie ihre Beharrlichkeit und großes Durchhaltevermögen bewiesen haben, sind sie befähigt die besonders gefährlichen Zaubermöglichkeiten dieser magischen Doppelseite auszuhexen.
»Yeahh!«, ruft Lilli und streckt ihre geballte Faust in die Luft. Ein unglaublich verlockender Duft hüllt das Buch – und bald auch Lilli – ein. Lilli schnuppert und liest aufgeregt weiter. Was sie dann erfährt, verschlägt ihr fast den Atem. Nachfolgend werden Möglichkeiten aufgezeichnet, über die so genannte »Orpheustreppe« in Welten vorzudringen, die normal Sterblichen nie zugänglich sein werden. Lilli gerät beim Lesen ins Schwitzen und gleichzeitig jagt ihr eine Gänsehaut nach der anderen über den Rücken. Immer wieder ist der Text mit Warnungen und Gefahrenhinweisen gespickt. Das

wäre eigentlich nicht nötig, denn schon allein die Aufzählung der verschiedenen Welten lässt Lilli erschauern. Von einigen dieser Reiche hat Lilli eine vage Vorstellung, von den meisten hat sie aber nie gehört. Streng nach Alphabet sind sie aufgezählt:

»Yeah!«, ruft Lilli noch einmal und wieder lässt sie ihre Faust fliegen. »Über die Orpheustreppe komme ich in jede Welt, in die ich will! Auf geht's nach Atlantis!« Und dann liest sie aufmerksam, wie man die magische Pforte zur Orpheustreppe öffnen kann.

Nach einer Weile schaut Lilli auf die Uhr. Gerade noch genügend Zeit, um zur Bücherei zu gehen und sich Fachbücher über Atlantis zu besorgen. Schließlich will sie gut vorbereitet die magische Treppe hinabsteigen. Wenn alles gut geht, könnte sie morgen Nacht den

Schritt wagen. Da ist Wochenende, das passt gut. Ab in die Bücherei! Die Ausbeute ist nicht riesig – aber immerhin groß genug, um Lilli die folgende Nacht mit Schmökern wach zu halten.

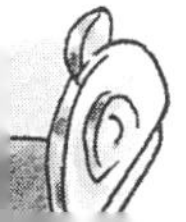

Erst als es auf drei Uhr morgens zugeht, legt sie die Bücher zur Seite und zwingt sich zum Schlafen.

Schließlich muss sie morgen Nacht ausgeruht sein, wenn es auf die große Reise geht. Atlantis . . . Der geheimnisvolle Name spukt ihr im Kopf herum. Atlantis . . . Das klingt nach Abenteuer.

Es dauert noch eine ganze Weile, bis sie endlich in einen unruhigen Schlaf fällt.

3. Kapitel

Was nimmt man mit auf eine Reise in eine versunkene Welt? Möglichst wenig, um sich nicht unnötig mit Gepäck zu belasten! Natürlich legt Lilli ihr Stoffmäuschen zurecht. Das braucht sie bei Zeitreisen mit dem Hexensprungtrick, damit sie immer in ihre richtige Zeit und an den richtigen Ort zurückkommt. Zwar will Lilli den Hinweg nach Atlantis mit dem Orpheustreppentrick bewältigen, aber den Rückweg in ihre Zeit plant sie mit dem bewährten Hexensprungtrick anzutreten.

Ob das allerdings klappt, weiß sie nicht, denn sie macht ja dieses Mal nicht nur eine Zeitreise, sondern begibt sich in eine vollkommen andere Welt. Eine Phantasiewelt vielleicht, denn wie sie den Büchern entnehmen konnte, ist die Atlantisforschung sehr uneinig, ob die ganze

Atlantisgeschichte nicht eher in den Bereich der Fabeln, Märchen und Sagen gehört. So oder so. Das Stoffmäuschen muss mit. Es hat ihr immer Glück gebracht. Der Fotoapparat? Nein, besser nicht, der würde bei der nassen Angelegenheit bestimmt Schaden nehmen. Also nur noch ihr Schweizer Taschenmesser. Schluss.
Und was zieht man an? Keine leichte Frage, denn schließlich will Lilli nicht schon durch ihre Kleidung unnötig Aufsehen erregen. Bei ihren Zeitreiseabenteuern in den Wilden Westen oder zu den Piraten war es nicht schwer, das vorher richtig einzuschätzen. Aber was haben die Leute vor zehn- bis fünfzehntausend Jahren in einer hochzivilisierten Kultur getragen? Sicherlich keine Turnschuhe . . . Vielleicht Ledersandalen oder Holzschuhe?

Oder gar Pelzstiefel, weil es bei ihnen schrecklich kalt war?
Lilli beschließt ihre ganz normalen Alltagssachen anzuziehen. Ihr bleibt nichts anderes übrig. Sie legt sich auf ihr Bett und blättert in den geliehenen Atlantisbüchern. Wäre es doch nur endlich Abend . . .

Es ist so weit. Lilli hat besonders reichlich zu Abend gegessen, Leon schläft längst und Lilli hört, wie auch Mama zu Bett geht.
»Gute Nacht, Mama, und schlaf gut«, ruft sie ihr noch zu. Dann wartet sie noch einen Moment, bis alles still ist. Es kommt ihr vor wie eine Ewigkeit. So. Endlich. Es kann losgehen. Lilli holt ihr Hexenbuch aus dem Versteck. Ganz, ganz sorgfältig schreibt sie den Zauberspruch zum

Öffnen und Hinabsteigen der Orpheustreppe auf einen Zettel. Noch einmal liest sie das gesamte Kapitel durch. Aber auch dieses Mal findet sie keinen Hinweis auf die Rückreisemöglichkeit. Entweder muss sie den Rückweg mit dem Hexensprung bewerkstelligen oder aber zurück über die Orpheustreppe steigen. Trotz verschiedener Warnungen zweifelt Lilli nicht daran, dass es einen Rückweg geben wird – schließlich ließen sich bisher alle Hexentricks rückgängig machen.

Aber Lilli fällt plötzlich etwas ganz anderes ein: Wenn sie die Pforte zur Orpheustreppe von ihrem Zimmer aus geöffnet hat, wird sie sich dann hinter ihr gleich wieder schließen? Oder bleibt sie geöffnet, sodass Lilli jemand folgen könnte, ohne zu ahnen, welch gefährliche Treppe er da hinabsteigt? Was ist, wenn Mama zufällig wach wird und in Lillis Zimmer kommt? Schlimm genug, dass Lilli nicht da ist. Ihr würde sicherlich irgendeine Ausrede einfallen, wo sie gewesen war, aber wie soll sie eine Treppe in ihrem Zimmer erklären? Mist. Wäre ihr das doch nur eher eingefallen! Dann hätte sie sich aus dem Gartengebüsch einen Zweig besorgt, sich damit per Hexensprung in den Garten gehext und hätte dann mit dem nächsten Trick die Orpheustreppe geöffnet. So aber bleibt ihr

nichts anderes übrig als sich zum Hexen zu Fuß in den Garten zu schleichen. Die Gefahr, dabei entdeckt zu werden, ist natürlich ungleich größer als sich gleich aus ihrem Zimmer zu zaubern. Aber eine hexische Orpheustreppe im Kinderzimmer ist ganz einfach unmöglich und viel zu gefährlich!
Lilli horcht. Die Luft scheint rein zu sein. Sie stellt noch den Wecker ihrer Armbanduhr, damit sie an die pünktliche Rückkehr erinnert wird, und los geht's. Im letzten Moment denkt sie noch an die Taschenlampe, die sie ja braucht, um im dunklen Garten den Zauberspruch zu lesen. Dann schleicht sie auf leisen Sohlen aus dem Zimmer, durch den Flur, aus dem Haus und in den Garten. Lilli wartet hinter dem Gebüsch. Falls Mama sie gehört hat, müsste sie gleich draußen auf-

tauchen und nach ihr rufen. Aber es bleibt still. Lilli knipst die Taschenlampe an, faltet den Zettel mit dem Zauberspruch auseinander und holt tief Luft. Ein letzter Blick zum Haus und schon murmelt Lilli die magische Formel. Die Hexerei beginnt. Dichte Nebelschwaden steigen aus dem Erdreich und für einen kurzen Moment schimmert eine glänzende Luke durch den Nebel. Dann werden die Schwaden wieder dichter. Man erkennt kaum die Hand vor den Augen.

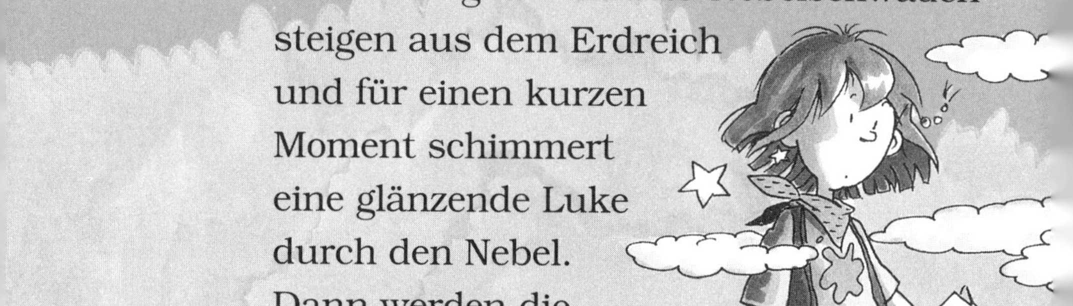

Lilli zögert nicht und steuert auf die eben noch sichtbare Luke zu. In dem Moment, als ihre Füße die Nebelwolke berühren, verwandelt sich der feuchte Dunst mit sanft zischendem Geräusch in eine silberglänzende Flüssigkeit.
»Die Pforte. Wie bei Stargate«, flüstert Lilli ehrfürchtig. Nicht ganz, denn im Film Stargate, den Lilli aus dem Fernsehen kennt, steht das silberglänzende Tor zur anderen Welt aufrecht. Hier aber liegt die wabbernde Pforte flach auf dem Boden wie eine Pfütze aus Quecksilber, in die man einen Stein geworfen hat. Unendlich viele kleine Wellen lassen die wogende Masse wie lebendig erscheinen.

Gerade will Lilli die merkwürdige Pfütze näher betrachten und befühlen, als sich die silberglänzende Flüssigkeit in zwei Hälften teilt und den Blick freigibt auf eine lange, gewundene Treppe in die Tiefe. Lilli berührt vorsichtig mit der Fußspitze die oberste Stufe. Nichts passiert. Ein kleiner Schauer läuft ihr über den Rücken, trotzdem setzt sie nun vorsichtig einen Fuß vor den anderen und steigt die Treppe hinab. Schon bald strömt ihr ein wohliger Geruch entgegen.

»Riecht genauso wie die verschlossenen Seiten in meinem Zauberbuch«, sagt sie und nimmt mit festem Schritt Stufe um Stufe. Die Wände, die die metallische Treppe links und rechts einfassen, schimmern golden und tauchen den Treppenabgang in ein warmes Licht. Tiefer und tiefer geht es hinab. Schier endlos wendelt sich der Gang in großen Bögen. Lilli hat es längst aufgegeben, die Stufen zu zählen. Wie lange sie wohl schon treppab geht? Jetzt wird ihr doch wieder mulmig. Gerade als sie ernsthaft überlegt doch lieber umzukehren, mündet die Treppe in einen steinernen Säulengang. In Abständen von etwa hundert Metern finden sich links und rechts verteilt große, schwere Eichentüren. Die Türblätter sind zwischen den Motiven mit Schnitzereien verziert, manche mit abschreckenden Motiven und scheußlichen Fratzen, andere einladend mit lieblichen Ornamenten und heiteren Bildern. In den Türstöcken sind kunstvolle Schriftzüge eingearbeitet, die mitteilen, in welche der verschiedenen Welten die betreffende Tür sich öffnet.

Staunend folgt Lilli dem Verlauf des Säulengangs. Als sie die Tür mit der Aufschrift »Untergegangene Kulturen« entdeckt, eilt sie hin und prüft entschlossen, ob sich die üppig dekorierte Messingklinke herunterdrücken lässt. Wie leicht die schwere Tür zu öffnen ist! Schon schreitet Lilli über die Schwelle. Hinter ihr fällt die Tür mit einem dumpfen Geräusch ins Schloss. Ein Schreck fährt Lilli in die Glieder. Aber schon ist sie von dem, was sie jetzt umgibt, so beeindruckt, dass sie nicht einmal mehr probiert, ob sich die Tür auch von dieser Seite aus öffnen lässt . . .

Lilli steht in einem kreisrunden Gewölberaum. Der Boden, die Wände und selbst die Decke sind kunstvoll mit bunt schimmernden Mosaiksteinen ausgekleidet. Das ist ein Funkeln und Glitzern, dass

Lilli fast geblendet ist. Auch von hier aus gehen zahlreiche Türen ab, deren Verzierungen zu erkennen geben, wohin sie führen. Mit taumelnden Schritten dreht Lilli sich im Kreis. Ihr Blick schweift über die beeindruckenden Darstellungen von Kometen, Sonnen, magischen Zeichen und phantastischen Welten. Erst als sie die Zugangstür zu ihrer Wunschwelt Atlantis entdeckt, festigt sich ihr Schritt und sie geht mechanisch wie ferngesteuert durch die Pforte. Und was sie jetzt sieht, nimmt ihr restlos den Atem: Vor ihr schlängelt sich ein Weg aus bunten Muschelschalen durch ein hohes Blütenmeer. Lilli traut sich kaum den Muschelweg zu betreten, aus Angst, die wunderschönen Schalen könnten zerbrechen. Die Blumen sind von einer Pracht und Vielfalt, wie Lilli sie noch nie gesehen hat.

Als sie den Blick nach oben wendet, wird im wahrsten Sinne des Wortes noch eines draufgesetzt und Lilli werden die Knie weich. Sie ist gezwungen sich hinzusetzen. Der Himmel über ihr – kann man das Himmel nennen? – ist gewölbt wie eine Kuppel und gibt den Blick frei in eine Unterwasserwelt von einer Farbenpracht, die einfach unbeschreiblich ist. In kristallblauem Wasser über ihr tummeln sich schillernde Fischschwärme; majestätische Riesenrochen gleiten wie fliegend dahin, Korallenriffe türmen sich und sattgrüne Wasserpflanzen wiegen sich in der sanften Meeresdünung.

Lilli ist erfüllt von ehrfurchtsvollem Staunen, das keinen Raum lässt für einen klaren Gedanken. Sie ist am Ziel ange-

kommen. Wahnsinn!
Es dauert eine ganze Weile, bis sie begreift, dass sie nicht träumt. Diese Unterwasserwelt ist echt. Langsam rappelt sie sich hoch und gibt sich selbst das Startsignal, die fremde Welt zu erkunden.

»Hilf mir!«, sagt in dem Moment eine Stimme ganz in ihrer Nähe. Lilli erschrickt furchtbar. Sie schaut sich suchend um. Niemand ist zu sehen.

»Hierher!«, tönt es erneut. Lilli macht ein paar Schritte in die Richtung, aus der sie die piepsige Stimme vernommen hat. Aber weit kommt sie nicht, weil sie sich keine nassen Füße holen will, denn erst jetzt bemerkt sie, dass die Pflanzen, die den Weg säumen, in seichtem Wasser stehen.

★

»Hallo?«, ruft Lilli unsicher. »Ist da irgendjemand?«

»Nein! Hier ist nicht irgendjemand!«, schallt es zurück und die dünne Stimme klingt richtig ärgerlich. »Hier spricht niemand Geringeres als König Schnurtelpomp. Zugehörig dem edlen Geschlechte der Terz von Turteldromp und Sohn des Königs Schnorchelpomp Turteldromp. Vor dir steht der Herrscher des stolzen Volkes der Turteldromp und oberster Heeresführer der unbeugsamen Streitmacht der vereinigten Turteldrompkosaken höchstpersönlich.« Jetzt endlich entdeckt Lilli den Winzling, der sich da durch die Blumenstängel kämpft und ihr entgegenstapft. Als er Lilli gegenübersteht, reicht er ihr nicht einmal bis ans Knie. Trotzdem baut er sich majestätisch vor ihr auf und wirft sich selbstbewusst in die Brust.

Lilli muss sich ein Lachen verkneifen, denn der stolze Heeresführer, der ihr mit einer Drohgebärde seinen eisernen Dreizack entgegenstreckt, ist offensichtlich eine Wasserschild-

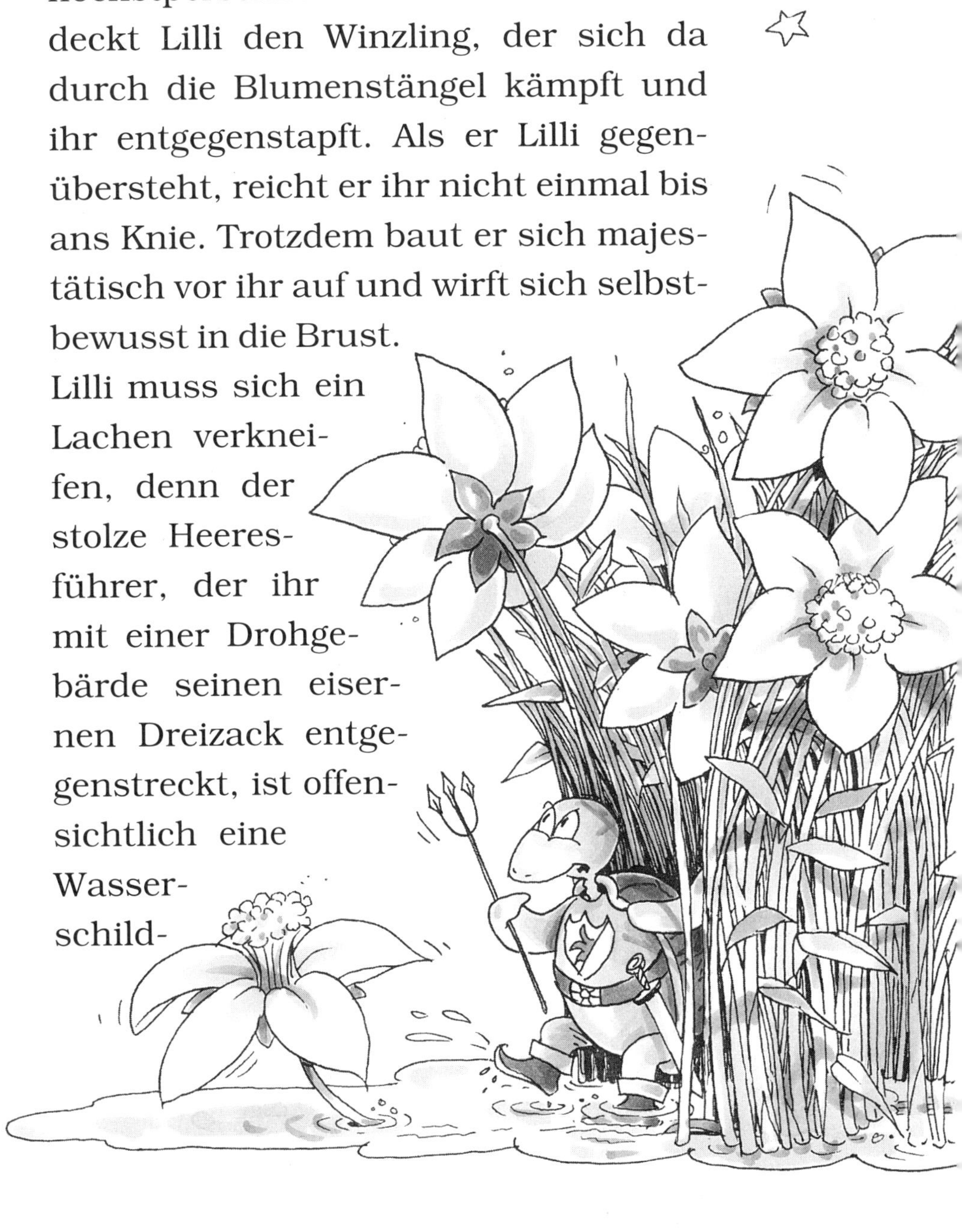

kröte. Eine Wasserschildkröte, die aufrecht auf zwei Beinen steht und sprechen kann. Auf seinem Brustpanzer prangt ein wahrlich königliches Wappen und selbst die Füße stecken in silberglänzenden Stiefelchen. Um seinen Bauch hat der stolze Minirecke ein Schwert gegürtet, reich verziert, aber nicht viel größer als ein Zahnstocher. Der königliche Heeresführer ist zwar klein gewachsen, scheint aber ein riesengroßes Selbstbewusstsein zu haben, denn jetzt pikst er mit seinem Dreizack keck in Lillis Waden und fährt sie an: »Einen Knicks macht man, junge Göre. Einen Knicks, wenn man einem König gegenübersteht!«
»Ja, ja«, stottert Lilli völlig verdattert und versucht tatsächlich einen Knicks – nicht unbedingt aus Ehrfurcht, sondern weil

sie völlig überrumpelt ist. So hat sie sich die Bewohner von Atlantis absolut nicht vorgestellt.

»Also hilfst du uns jetzt?«, fordert der unerschrockene Winzling eine Antwort ein.

»Wobei? Ich meine, ich kenne mich doch gar nicht aus, was soll ich denn . . .«

»Quallenbrut und Schnorchelstopf! Was soll das Gestottere?!«, fährt der Winzling Lilli barsch an und scheut sich tatsächlich nicht ihr ein zweites Mal in die Waden zu stechen. »Meine Frage ist keine Frage, sondern ein Befehl! Schließlich bin ich König!«

»Ja aber . . . wie soll ich denn . . . ich meine, was soll ich denn machen, ich weiß ja nicht einmal . . .«

»Ich befehle – und du hast zu gehorchen!«, fällt ihr der furchtlose Schildkrötenwicht unverschämt ins Wort.

Normalerweise ist Lilli nicht so leicht aus der Fassung zu bringen, aber nun muss sie doch nach Worten suchen, um auf diese Unverschämtheiten eine passende Antwort zu geben: »Im Allgemeinen helfe ich ja gerne, aber ich denke, ich sollte doch . . .«

»Nicht denken – Befehle ausführen«, schimpft der Schildkröterich, zieht sein

Schwert und versucht damit durch Lillis Turnschuhe zu bohren. Das gelingt ihm allerdings nicht, aber mit wüstem Schimpfen und bösen Drohungen versucht er es immer wieder. Für Lilli sieht das komisch aus und sie schaut belustigt zu. Aber sosehr der Turtelkönig auch schimpft, sie kann dem kleinen Giftzwerg einfach nicht böse sein.

»Womit kann ich Eurer Majestät dienen?«, fragt sie schließlich lachend. Schnurtelpomp Turteldromp hört augenblicklich auf herumzustochern.

»Das gefällt mir schon besser«, sagt er und steckt sein Minischwert zurück in die Scheide. »Zuerst zeig mir deine Hand!«

Lilli streckt ihm ihre Hand entgegen.

»Nicht die rechte, die linke, du Tranmoräne!«

Brav kommt Lilli auch dieser Bitte nach. Der Turtelkönig schüttelt die Hand aber nicht, sondern betrachtet nur kurz die Handinnenfläche.

»Dachte ich's mir! Also hab ich Recht mit meiner Vermutung. Komm sofort mit mir in die Stadt! Am besten, du trägst mich . . . aber dalli!«

Lilli versteht zwar nicht, was er von ihr will, aber sie kommt dem Wunsch des Winzlings nach. Schließlich kann er mit Stadt doch nur Atlantis meinen – und das ist ohnehin ihr Ziel. Sie nimmt den vorlauten Burschen wie ein Kleinkind auf den Arm.

»Dorthin!«, befiehlt er und deutet die Richtung an. Lilli folgt dem Muschelweg.

»Wo genau ist die Pforte, durch die du hereingekommen bist?«, will Schnurtelpomp nach einer Weile wissen. Irgendwie ist Lilli bei dieser Frage nicht so ganz wohl zu Mute und sie antwortet: »Ich verstehe nicht . . .«

»Krakenschleim und Rochusfurz. Mir kannst du nichts vormachen. Du bist hier eingedrungen . . . Du trägst kein Zeichen und deine Ohren . . . anders . . . siehst einfach anders aus.«

»Anders als wer?«, fragt Lilli, denn ihr ist klar, dass er sie wohl kaum mit seinen Artgenossen vergleicht.

»Anders als die Aquanauten.«

»Die Aquanauten?«

Aber noch bevor der Schildkrötenmann etwas erklären kann, erscheint in diesem Moment eine prächtige Stadt am Horizont und Lilli ist gleich klar, dass die Bewohner dieser palastartigen Gebäude keinesfalls Schildkröten sein können. Dazu sind die Bauwerke viel zu riesig.

»Atlantis!«, platzt es aus Lilli heraus, denn als sie die letzte Biegung des Muschelweges hinter sich gelassen haben, breitet sich die ringförmige Stadtanlage gänzlich vor ihnen aus.

»Genau wie auf den Bildern in meinen Büchern«, staunt Lilli.

»Volle Deckung!«, meldet sich Schnurtelpomp mit seinem üblichen Befehlston wieder zu Wort. »Runter mit dir! Man darf uns nicht zusammen sehen!«

Im ersten Schrecken folgt Lilli rasch den Anweisungen und duckt sich ins Gras, aber sie hat wenig Lust, den Befehlen weiter zu gehorchen. Viel lieber würde sie sich jetzt die Stadt ansehen.

»Warum muss ich mich verstecken, wenn ich fragen darf?«, sagt sie leicht genervt.

»Die Befehle erteile ich!«, faucht der Kleine, hüpft auf ihren Schoß und fuchtelt

mit seinem Dreizack unter ihrem Kinn herum. Lilli verdreht die Augen.
»Und was befehlen eure Majestät nun? Was soll ich jetzt tun?«
»Mir sagen, wo der Eingang ist, durch den du hier hereingekommen bist!«
»Und dann?«

»Und dann gehe ich in die Stadt und lass mich feiern, weil ich weiß, wo der versteckte Ausgang liegt. Dann bin ich ein königlicher Held!«

»Und was mach ich?«, fragt Lilli knapp, weil ihr die tolldreiste Art dieses Winzlings fast die Sprache nimmt.

»Du bleibst solange hier. Du kannst ja später dazukommen, wenn wir alle befreit haben und feiern!«

Jetzt versteht Lilli überhaupt nichts mehr – außer dass sie sich diese Unverschämtheiten nicht länger bieten lassen will.

»Jetzt reicht's aber!«, schimpft sie los und steht so plötzlich auf, dass Schnurtelpomp auf die Wiese kullert. »Was zu viel ist, ist zu viel. Ich schau mir Atlantis an.«

»Algenpest und Haifischblut – das verbiete ich dir!«

»Du kannst mich mal!«, sagt Lilli schnippisch und blickt hinüber zur Stadt. Sie klopft sich die Hose ab und macht sich auf den Weg. Schnurtelpomp stampft wütend mit seinen Stiefelchen auf, schimpft und gebärdet sich wie ein Rumpelstilzchen. Als ihm das nichts nutzt, eilt er Lilli hinterher und versucht mit ihr Schritt zu halten. Aber auch das gelingt nicht, denn Lilli geht mit großen Schritten zielstrebig auf Atlantis zu. Sie kann es kaum noch erwarten, die Stadt zu erkunden.

☆

»Bitte, bitte, vielleicht weißt du einen Weg!«, jammert der Schildkrötenwicht und all die Bosheit in seiner Stimme ist wie weggeblasen. Lilli zögert und dreht sich nach ihm um.

»Ich brauche deine Hilfe«, bettelt er. »Es ist ja nicht für mich. Wir alle brauchen deine Hilfe. Bitte, bitte!«

»Ich dachte, das Wort ›bitte‹ kommt im königlichen Wortschatz nicht vor«, sagt Lilli.

»Bitte, bitte, bitte, rette mein Volk, bitte!«, wimmert der kleine König und wirft sich Lilli, die er inzwischen eingeholt hat, schluchzend vor die Füße. Natürlich hat Lilli Mitleid mit dem kleinen Jammerlappen. Sie sagt: »Also, der Reihe nach. Wo liegt das Problem? Und wie kann ich helfen?«

»Entschuldige bitte mein Benehmen!«, sagt der Kleine und schnäuzt sich die Nase. »Aber ich bin nun einmal König und nicht gewohnt um Hilfe zu bitten. Aber die Zeit drängt. Es ist zum Verzweifeln . . .«

»Dann versuch dich kurz zu fassen und erklär mir nur das Nötigste!«
»Also. All das, was du hier unter der Schutzkuppel siehst, ist Atlantis. In der großen Stadt wohnen die Aquanauten. Wir, das stolze Volk der Turteldromp, leben halb in Atlantis und halb im Meer. Wir versorgen die Aquanauten mit Lebensmitteln unserer großen Plantagen außerhalb von Atlantis. Dafür gewähren uns die Aquanauten den Zugang zu ihren atlantischen Blumensümpfen. Wir können uns aber nur eine bestimmte Zeit außerhalb von Atlantis aufhalten, weil wir immer wieder zum Lufttanken hierher kommen müssen.
Normalerweise kein Problem. Aber nun hat ein fürchterlicher Riesenkrake die Zugangsschleuse versperrt und verschlingt alles, was an ihm vorbeiwill. Bei

dem Versuch, die Schleuse freizukämpfen, mussten schon etliche Aquanauten und zahllose Turteldromper ihr Leben lassen. Wenn nicht bald etwas geschieht, werden aber noch mehr sterben müssen: meine Leute auf den Plantagen, weil ihnen der Zugang zum Atmen verwehrt ist, und auf längere Sicht auch die Aquanauten, weil ihnen die Lebensmittelvorräte ausgehen. Der Ältestenrat der Aquanauten und meine Minister haben beraten und beraten. Wir kommen nicht weiter. Eine einzige Hoffnung bleibt. Es soll noch einen weiteren Zugang zu Atlantis geben. Diesen geheimen Zugang kannte aber nur der Magier – oder Schamane –, wie ihn die Aquanauten nennen. Dieser wissende Zauberer ist aber leider schon vor langer Zeit gestorben und hat sein Geheimnis mit ins Grab genommen. Es ist zum Verzweifeln . . . Verstehst du nun meine Aufregung, als ich dich plötzlich in den Blumensümpfen stehen sehe . . . Du sahst so fremd aus, da dachte ich . . .«

»Für wie lange haben deine Leute draußen im Wasser noch Atemluft?«, fällt Lilli dem König ins Wort.

»Nicht lange, fürchte ich . . .«

»Führ mich zum Ältestenrat, aber schnell!«, drängt Lilli.

4. Kapitel

Schnurtelpomp klettert auf Lillis Rücken und klammert sich dort wie ein Koalababy fest. So eilen die zwei der Stadt entgegen. Im Laufschritt erreichen sie das einladende Stadttor und endlich begegnet Lilli auch den Bewohnern von Atlantis. Auf den ersten Blick sehen sie wie ganz normale Menschen aus – vielleicht etwas kleiner gewachsen. Erst bei genauerem Hinsehen bemerkt Lilli, dass sie merkwürdig geformte kleine Ohren haben. Ob das wohl Kiemen sind, mit denen sie auch unter Wasser atmen können? Auch ihre Hälse scheinen besonders lang gewachsen zu sein.

Dieser Umstand wird aber durch auffällig verzierte Halskrausen aus Stoff oder Leder verdeckt. Was mag dahinter stecken? Oder ist dies vielleicht nur eine Modeerscheinung? Die Bewohner von Atlantis legen offensichtlich überaus großen Wert auf ihr äußeres Erscheinungsbild. Jeder von ihnen scheint den anderen mit noch prächtigerer Kleidung übertreffen zu wollen. Lilli sieht wallende, indisch anmutende Gewänder, aber auch bunt schillernde, eng anliegende Trikots, wie die Sportler heute sie tragen; außerdem fürstliche, mittelalterlich anmutende Ornate und goldbestickte Lederpanzer wie von japanischen Samurai.

»Los weiter! Du lahme Ente!«, reißt Schnurtelpomp Lilli aus ihrem Staunen und wie ein Cowboy gibt er Lilli die Sporen, indem er seine Stiefelhacken in ihre Hüfte bohrt. Seine Reue und Demut scheinen wie verflogen, denn er quäkt wieder im unverschämten königlichen Befehlston: »Eine Aufgabe wartet auf uns. Vorwärts, weiter zum Alting!« Mit seiner Dreizacklanze weist er Lilli die Richtung.

Lilli folgt der kunstvoll gepflasterten Muschelpanzerstraße. Wie gerne würde sie mit den Bewohnern reden, aber der Turtelkönig duldet keine Rast. Weiter geht es wie im Galopp. Das merkwürdige Reitergespann scheint nicht weiter aufzufallen – kein Wunder, bei dieser Vielfalt ringsum. Ab und an winkt man ihnen freundlich zu. Gerade meint Lilli sogar einen ganz normalen Menschen mit nor-

malen Ohren gesehen zu haben – und was noch merkwürdiger ist: Er trug Turnschuhe, ganz normale Turnschuhe. Unglaublich! Vorbei geht es an prachtvollen Häusern, die genauso phantasievoll und liebevoll gestaltet sind wie die Kleidung ihrer Bewohner. Lilli ist von den Eindrücken so überwältigt, dass sie gar nicht müde wird. Erst als Schnurtelpomp ihr plötzlich rüde an den Haaren zieht und »Absteigen!« brüllt, spürt sie, wie sehr sie außer Atem ist. Vor einem kostbar geschnitzten Eingangsportal stehen zwei Diener, gekleidet wie die Pagen vor einem großen Hotel.
»Zum Alting! Führt mich sofort zum Alting!«, fährt Schnurtelpomp die Pagen an. »Und verkündet, dass ich, König Schnurtelpomp, zugehörig dem edlen Geschlechte der Terz von Turteldromp und

Sohn des Königs Schnorchelpomp Turteldromp und oberster Heeresführer der unbeugsamen Streitmacht der vereinigten Turteldrompkosaken höchstpersönlich . . . also, dass ich die Rettung bringe!«
Ohne zu zögern, eilt einer der Pagen voraus, der andere führt die zwei gemächlichen Schrittes über einige Flure und Treppen in einen großen Saal. Dort sitzt eine Gruppe von Aquanauten um einen ringförmigen Tisch versammelt und diskutiert lebhaft. Sie alle sehen würdig und Ehrfurcht einflößend aus. Als Lilli und

der

Turtelkönig eintreten, verstummt das Gespräch. Lilli zählt dreizehn Männer und Frauen, alle in purpurrote, mönchsartige Samtkutten gekleidet und mit schlohweißem Haar, das auf hohes Alter schließen lässt.

»Willkommen lieber Schnurtelpomp«, ergreift schließlich eine Frau mit sanfter Stimme das Wort. »Du kannst uns sicher erklären, warum du ohne Voranmeldung eine Fremde hier vor den Ältestenrat bringst.«

Mit einem gewaltigen Satz, den Lilli dem

Schildkrötenkönig nicht zugetraut hätte, springt dieser direkt auf den Tisch und ruft: »Ich bring uns die Rettung. Sie trägt das Zeichen nicht!«

Ein Raunen geht durch die Runde.

»Ich habe sie bei den Blumensümpfen aufgegabelt. Sie tauchte auf wie aus dem Nichts. Wahrscheinlich muss dort irgendwo der Ausgang sein . . .«

»Und? Wer bist du und was sagst du dazu?«, wendet sich nun ein Mann mit langem Rauschebart an Lilli. Lillis Herz pocht wild.

All die Warnungen vor den großen Gefahren der Unterwelten gehen ihr durch den Kopf. Wo ist sie hier hineingeraten? Was passiert, wenn sie nun etwas Falsches sagt? Wird sie dann von diesem Rat angeklagt, weil sie unerlaubt hier eingedrungen ist? Schon verschwindet

Lillis rechte Hand in ihrer Hosentasche und ertastet das Stoffmäuschen. Aber kann sie sich von hier aus überhaupt mit dem Hexensprung zurück in ihre Welt hexen?
»Und?«, mahnt der Bärtige, der immer noch auf eine Antwort wartet.
»Sie kann uns sicher retten! Ich habe es im Gefühl. Beim edlen Geschlechte der Terz von Turteldromp, ich habe es im Gefühl. Sie ist unsere einzige Hoffnung.«
»Bist du nicht nur ohne Zeichen, sondern auch ohne Stimme?«, fragt jemand aus der Runde.
»Also, das Zeichen . . .«, Lilli sucht nach Worten. »Was meint ihr damit?«
Wortlos wie auf Kommando heben alle Aquanauten wie zum Gruß ihre linke Hand an die Schläfe und Lilli sieht, dass alle an der Innenseite des Handgelenks

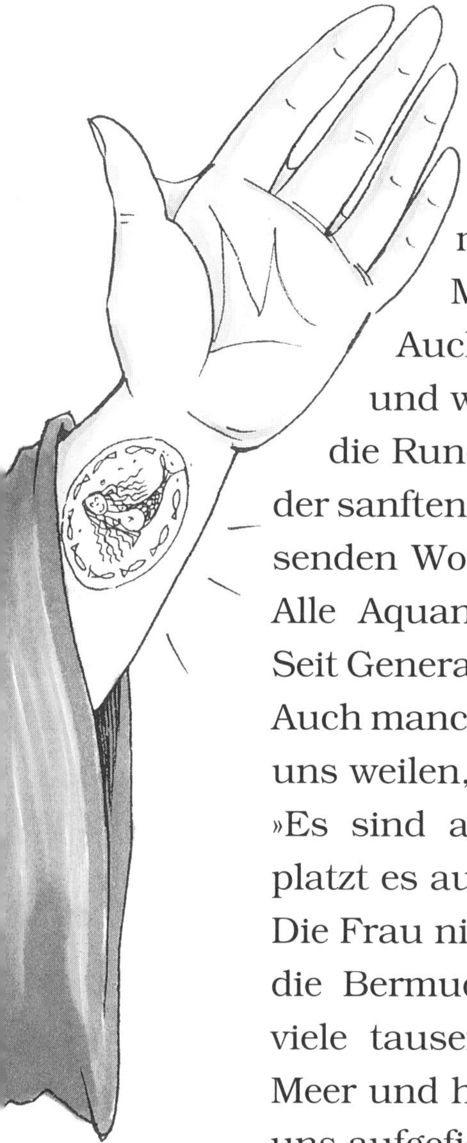

eine kreisrunde Tätowierung tragen. Ein Emblem mit magischen Zeichen, in dessen Mitte eine Meerjungfrau lacht.

Auch Lilli streckt ihre Hand hoch und wieder geht ein Raunen durch die Runde. Wieder ist es die Frau mit der sanften Stimme, die als Erste die passenden Worte findet: »Lass dir erklären: Alle Aquanauten tragen das Mandala. Seit Generationen wird es weitergegeben. Auch manche Erdenmenschen, die unter uns weilen, tragen das Mal.«

»Es sind auch Erdenmenschen hier?«, platzt es aus Lilli heraus.

Die Frau nickt. »Ja, sie stürzten dort, wo die Bermudainseln ein Dreieck bilden, viele tausend Seemeilen über uns ins Meer und hatten das Glück, zufällig von uns aufgefischt zu werden. Wenn sie gewillt sind nach unseren Regeln zu leben, nehmen wir sie auf. Doch bevor sie durch die Schleuse endgültig unser Reich betreten, lassen sie sich als Zeichen der Verbundenheit mit uns das Mandala einbrennen. Du trägst das Zeichen nicht und weilst dennoch in unserer Welt. Du kannst aber nicht durch die Schleuse gekommen sein . . .«

»Wir wissen von unserem Schamanen, dass es noch einen weiteren Zugang zu unserer Welt geben muss. Ein Zugang, der uns gewöhnlichen Aquanauten allerdings versagt ist. Bist du vielleicht auch eine Schamanin? Oder Druidin, Hexenmeisterin oder wie immer ihr wissenden Erdenmenschen euch nennt?«

»Und wenn ich's wäre? Was wäre dann?«, fragt Lilli vorsichtig.

»Nun, dann könntest du uns vielleicht helfen . . . ein dringendes Problem zu lösen«, erklärt der Bärtige.
»Du könntest ganz Atlantis retten!«, ruft Schnurtelpomp mit drängender Stimme und pocht dabei mit dem Stiel seines Dreizacks auf den Tisch.
Lilli überlegt lange und bedächtig, dann sagt sie: »König Schnurtelpomp berichtete mir von dem Riesenkraken, der eure Zugangsschleuse besetzt. Aber wie soll ich mit meinen bescheidenen Mitteln . . . wie soll ich sagen? Ich verstehe nicht . . . ich meine, wenn ihr in der Lage seid, diese hochtechnische Anlage tief unter Wasser zu bauen und zu betreiben, dann werdet ihr doch wohl einen Kraken loswerden können, der euch bedroht . . . Ihr habt doch sicher Unterwasserkanonen oder Lasergeschosse oder . . .«

Die Anwesenden unterbrechen Lilli mit lebhaftem, lautstarkem Protest, bis einer von ihnen mit einem Handzeichen um Ruhe bittet und Lilli erklärt: »Wir Aquanauten lehnen jede Art von Gewalt grundsätzlich ab. Diesem Schwur sind wir seit tausenden von Jahren, seit wir uns von der gewalttätigen Erdenwelt zurückgezogen haben, treu geblieben. Wir werden eher sterben als diesen Schwur zu brechen.«
»Wir nicht!«, meldet sich Schnurtelpomp zu Wort und schwingt kämpferisch seinen Dreizack. »Aber was sollen wir gegen dieses Monster ausrichten?«
»Ich glaube, selbst wenn ihr das Ungeheuer vernichten könntet, wir würden es euch auch nicht erlauben«, sagt der Bärtige und streicht dem Turtelkönig lächelnd über den Kopf. »Denn wenn ihr in

unserem Namen Gewalt anwendet, sodass die Krakenkreatur zu Tode kommt, würde es doch für uns auf dasselbe hinauslaufen. Ihr wärt dann nur unser Werkzeug, unsere Waffe . . . Wir würden uns schuldig machen. Vielleicht ist der Krake nur eine Prüfung des Schicksals. Wir werden die Prüfung bestehen und unserem Lebensprinzip treu bleiben. Aber du, wissende Schamanin, glaube bitte nicht, dass wir gerne sterben. Wenn es einen Ausgang, eine Pforte gäbe, durch die du unser Volk führen könntest und so vor dem Untergang bewahren würdest . . .«

Lilli schwirrt der Kopf. Sie weiß, oberstes Gebot der Orpheustreppe in die Unterwelt ist: Nimm kein Lebewesen mit zurück in deine Welt! Nie und nimmer! Was würde auch aus den friedfertigen Ge-

schöpfen werden, wenn Lilli sie zu den Menschen brächte? Sie würden im Zoo oder Fernsehen zur Schau gestellt, in Talkshows zu Belustigungen vorgeführt und, und, und . . . Eine schreckliche Vorstellung.

»Ich fürchte, ich kann euch auch nicht helfen«, sagt sie und fühlt, wie sie mit Tränen kämpfen muss. »Wenn ich mir diesen Kraken doch nur mal anschauen könnte, vielleicht hätte ich eine Idee, wie er zu vertreiben wäre, aber . . .«

»Warum versuchst du es nicht?«, fragt jemand aus der Runde.
»Ich glaube, ihr überschätzt meine Möglichkeiten. Das Wasser . . . wie soll ich . . . da draußen ist doch alles unter Wasser!«
»Du kaust die Perlen hier«, sagt die Frau mit der sanften Stimme und streckt Lilli eine walnussgroße blaue Kugel entgegen. »Die schützt dich vor dem großen Wasserdruck und spendet dir Sauerstoff.«
Der Bärtige schlägt vor: »Und damit dir nichts passiert, leihe ich dir Avantilos, mein Seepferd. Es ist das tüchtigste Seepferd des Bermudadreiecks und trägt dich im Notfall tornadoschnell aus jeder Gefahr.«
»Aber wenn wir die Schleuse öffnen, schwimmt sie samt Avantilos dem Kra-

ken direkt in sein riesiges Maul. Sie müsste durch ihre geheime Pforte hinaus und dann durch das Wasser wieder zu uns vordringen, um dem Kraken in den Rücken zu fallen«, sagt Schnurtelpomp und gibt zu bedenken: »Aber wer weiß, wie lange das dauert und ob meine Leute da draußen dann noch leben?«

Lilli zögert. Sie merkt, wie verzweifelt die Lage ist und dass alle Aquanauten nun ihre letzte Hoffnung auf sie setzen. Kann sie diese Unterwasser-Menschen enttäuschen? Unmöglich!

»Her mit der Luftkugel! Lasst es mich versuchen«, sagt sie.

»Wo ist das Seepferd?«

Der Bärtige gibt Anweisungen, damit sein Seepferd im Hofteich so schnell wie möglich gesattelt wird.

Und Lilli lässt sich genau erklären, wie sie die Pille nehmen muss. Es ist ganz einfach, sie wird gekaut wie ein Kaugummi und spendet dann Atemluft für ein paar Minuten.

»Du darfst aber immer erst eine neue Perle kauen, wenn die alte verbraucht ist. Nie mehr als eine Blubberperle, sonst ist die Wirkung zu stark!«, wird Lilli eindringlich gewarnt. Lilli lässt einen großen Kugelvorrat in ihrer Hosentasche verschwinden.

»So viele Perlen wirst du sicher nicht benötigen!«, lacht der Bärtige und führt sie raus in den Hof.

Welch ein Anblick! In einem kristallklaren, kreisrunden Teich ziehen Seepferdchen ihre Bahnen. Manche strecken ab und zu keck ihren Kopf aus dem Wasser, als wollten sie schauen, was im Hof so los ist. Die possierlichen Tiere sind größer, als Lilli sie sich vorgestellt hat. Jetzt reckt ein besonders anmutiges Seepferd seinen Kopf aus dem Wasser. Es trägt sogar richtiges Zaumzeug, wie Lilli es von Reitpferden kennt. Als es den Bärtigen ent-

deckt, springt es freudig wiehernd aus dem Wasser. An Land lässt es seinen leicht eingerollten Schwanz auseinander schnellen und hüpft so in gewaltigen Sprüngen auf die Umstehenden zu. Der Bärtige fängt es ein und flüstert ihm etwas ins Ohr, worauf sich das anmutige Tier besonders klein macht, um Lilli das Aufsteigen zu erleichtern. Lilli lacht das Herz. Wenn das ihre beste Freundin Mona sehen könnte. Viele, viele Stunden hat sie mit Mona auf dem Reiterhof verbracht. Die beiden sind vernarrt in Pferde und kennen sich wirklich gut mit ihnen aus. Aber der Anblick dieses Prachtexemplars von Pferd haut Lilli um. Ein so hübsches Tier hat sie noch nie gesehen. Mit geübtem Schwung nimmt sie im Sattel Platz und klopft Avantilos zärtlich auf den Hals.

»Du kannst auch mit ihm sprechen, er versteht unsere Sprache!«, ruft der Bärtige.

»Ich heiße Lilli. Tut mir Leid, dass ich kein Leckerchen für dich habe, aber mit einem Ausritt habe ich nicht gerechnet.«

Avantilos nickt gutmütig und macht einen sanften Hüpfer, so als ob er testen will, ob seine Reiterin auch gut im Sattel sitzt. Dann dreht er Lilli den Kopf zu und stupst ihr freundlich unter die Arme.

»Avantilos kann nicht allzu lange in der Luft bleiben«, erklärt der Bärtige. »Er muss immer wieder zum Atmen ins . . .«

Mehr versteht Lilli nicht, denn in diesem Moment macht das Seepferd mit Lilli einen Riesensprung in den Teich. Zum Glück taucht es aber schnell bis zum Sattel wieder auf und schwimmt im Kreis. Pudelnass prustet Lilli sich das

Wasser aus der Nase und es dauert einen kleinen Moment, bis sie sich vom ersten Schrecken erholt hat und wie die anderen im Hof darüber lachen kann.

»Wir sollten jetzt aber los!«, mahnt Schnurtelpomp. »Meinen Leuten wird sicher schon die Luft knapp.«

»Ich will mein Bestes geben!«, verspricht Lilli und fügt mit einem Ton, der keinen Widerspruch duldet, hinzu: »Ein *wir* wird es allerdings nicht geben, lieber Schnurtelpomp. Ich werde allein mit Avantilos mein Glück versuchen!«

»Recht so!«, stimmt die Frau mit der sanften Stimme zu. »Möge Neptun der Meeresgott euch beistehen!«

»Nimm wenigstens das Schwert!«, sagt der kleine König ein wenig beleidigt und reicht es Lilli. »Es gehört meinem Sohn Turtelpunk, der da draußen auf Rettung wartet.« Lilli befestigt das Schwert an Avantilos Sattel und dann flüstert sie dem Pferdchen ins Ohr: »Auf zu den Blumensümpfen!« Und schon hüpfen die beiden, begleitet von vielen guten Wünschen, davon. Am Stadttor greift Lilli sich einen Dreizack, der dort in einem Wappen zur Verzierung angebracht ist. So ist sie bewaffnet und hat zugleich eine Zielvorgabe, falls sie den Rückweg per Hexensprung antreten muss. Man kann ja nie wissen . . . Als sie die Blumensümpfe erreichen, steigt Lilli ab und lässt Avantilos erst einmal im Wasser Atem schöpfen. Dann vergewissert sie sich, dass ihr niemand gefolgt ist und sie unbeobachtet bleibt. Lillis Idee ist nämlich folgende: Sie will nicht durch

das Orpheustor reiten. Nein, sie wird sich mit dem Hexensprung auf die Außenseite der Kristallpanzerkugel von Atlantis bringen. Zum Glück hat sie das Schwert dabei, mit dem sie sich direkt zu Schnurtelpomps Sohn hexen kann.

Schnell steigt sie jetzt auf Avantilos Rücken, schiebt sich eine Perle in den Mund, drückt das Schwert ans Herz, damit es sie zum rechten Platz führt, und murmelt den Spruch für den Hexensprung. Sekunden später rauscht sie schon durchs Wasser.

Die Blubberperlen setzen beim Kauen mehr Luft frei, als Lilli zum Atmen braucht. Wie ein Taucher lässt sie die überflüssige Luft aus ihrem Mund blubbern.

Ein wundersames Bild, wie die Sauerstoffblasen über ihr nach oben perlen. Aber Lilli hat kaum Zeit, die schönen Eindrücke zu genießen, denn schon sieht sie sich einer großen Gruppe von Wasserschildkröten gegenüber.

»Hallo, seid ihr alle noch o. k.?«, begrüßt sie die Turteldromper. »Wir sind geschickt worden nach euch zu sehen. Schnurtel-

pomp lässt euch viele Grüße ausrichten. Er macht sich große Sorgen um euch und freut sich sehr auf eure Heimkehr. Es wird nicht mehr lange dauern . . .«

»Ist der Weg frei? Der Krake besiegt?«

»Nein, habt Geduld, schont eure Kräfte und die Atemluft!«

»Wie konntet ihr dann mit meinem Vater sprechen und dann zu uns kommen, ohne dass der Krake euch erwischt hat?«

»Keine Zeit für Erklärungen! Wartet ab!«

»Drei unserer Leute schaffen es nicht mehr lange. Sie sind alt und schwach und werden bald an Atemnot sterben!«

Lilli sieht drei Schildkröten auf dem Meeresgrund, die sich kaum noch bewegen. Sie überlegt fieberhaft.

»Moment!«, ruft sie dann, denn sie hat eine Idee. Lilli zieht am Zügel und schon zischt Avantilos zu einer riesigen, leeren Muschelschalenhälfte. Unter die Muschel legt Lilli drei Blubberperlen auf den felsigen Boden und beginnt darauf herumzutanzen. Avantilos versteht sofort und unterstützt sie, indem er mit seiner Schwanzspitze auf die Kugeln eintrommelt. Schon perlt die Luft heraus, steigt auf und bildet unter der kuppelartigen Muscheldecke eine große Luftblase. Inzwischen ist auch Turtelpunk mit seinen Leuten eingetroffen.

Während Lilli sich wieder auf das Pferd schwingt, ruft sie ihm zu: »Für ein paar von euch sollte die Luftblase reichen. Ihr müsst aber selber weitertrampeln, denn wir wollen den Kampf mit dem Kraken aufnehmen!«

Dann stemmt sie sich in die Steigbügel.

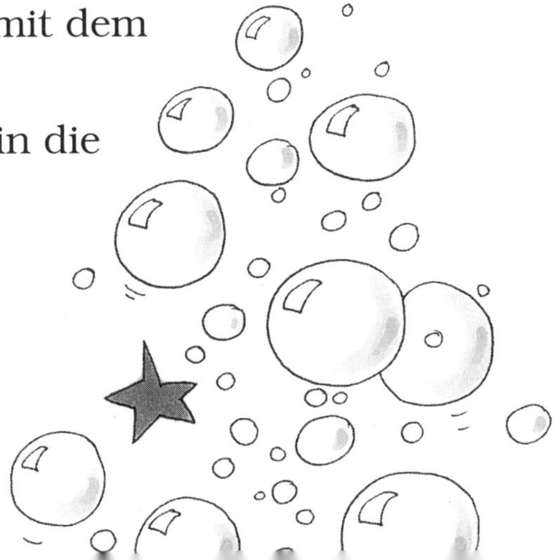

Avantilos macht seinem Ruf alle Ehre und prescht so ungestüm los, dass Lilli es kaum schafft, sich am Zaumzeug festzuhalten. Als sie das Schleusentor erreichen, verlässt Lilli fast der Mut, so groß und bedrohlich sieht der Krake aus.

»Oh! Was sehe ich da? Eine kleine Delikatesse für mich!«, frohlockt der Krake, rollt mit den riesigen Augen und lässt grünen Schleim aus seinem Maul sabbern.

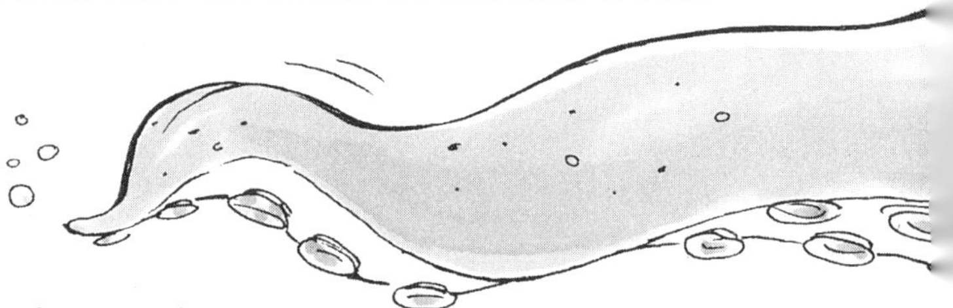

Ich werde mich doch nicht von so einem ekligen, fetten Ungeheuer einschüchtern lassen, macht Lilli sich selber Mut und geht zum Angriff über.

Den Aquanauten hat sie versprochen den Kraken zu verscheuchen, ihn aber nicht zu töten. Das ist auch ganz in Lillis Sinne, schließlich ist auch sie ein friedliebender Mensch, auch wenn sie von der Erde kommt. Als Erstes versucht sie also dem Kraken den Dreizack in den quabbeligen Leib zu rammen. Aber vergeblich. Der Krake schlägt so wild mit seinen Peitschenarmen um sich, dass Lilli es nur Avantilos´ Schnelligkeit zu verdanken hat, dass sie nicht vernichtend getroffen wird.

Lilli denkt kurz nach, dann hat sie eine geniale Idee. »Dann eben anders, du Wabbeldreck!«, ruft sie übermütig und zischt mit dem Seepferdchen davon. Wenig später ist sie zurück. In beiden Händen hält sie einen Zitteraal. Lilli weiß, dass diese Aale in der Lage sind, Strom-

schläge von vielen tausend Volt auszuteilen, um sich ihrer Feinde zu erwehren.
»Wollen doch mal sehen, wie dir die elektrischen Schläge vom Zitteraal schmecken!«, ruft Lilli, schleudert ihrem Gegner die Aale direkt ins Gesicht und zieht sich zurück, denn sie muss Acht geben, dass sie nicht selber von den Stromschlägen erfasst wird. Und wie reagiert der Krake? HAPS macht es und die Zitteraale sind in dem riesigen Schlund des Ungeheuers verschwunden.
Aber sehr große Wirkung zeigen die Stromschläge nicht, nur die Augen des Kraken flackern ein paarmal hell auf.
»Sehr pikant, die Vorspeise, die du mir gebracht hast!«, lacht der Krake hämisch. »Komm her und sei mein Hauptgericht!«
Lilli muss einsehen, dass sie bei diesem

☆

Monster mit Gewalt nichts ausrichten wird. Da hilft nur eine List, und das ist ja auch ihre Stärke.
»Wenn ich mich von dir fressen lasse, was bekomme ich dafür?«, will Lilli wissen.
»Was soll das heißen?«, fragt der Krake.
»Du bekommst den Tod – und zwar geschenkt von mir persönlich!«
»Dann hol mich doch!«, ruft Lilli und lässt scheinbar unachtsam Avantilos Zügel aus der Hand gleiten.
»Ich bin doch keine Blödmoräne und falle auf so einen plumpen Trick rein. Du willst mich nur von der Schleuse weglocken! Nein, darauf falle ich nicht rein. Ich kann warten. Irgendwann werden die da drinnen rauswollen und dann habe ich mehr als genug zu fressen!«
Lilli ist ratlos. Was soll sie jetzt noch tun? Da bemerkt sie, dass die Wirkung ihrer

Blubberperle nachlässt, und sie schiebt sich schnell eine neue in den Mund. Das aber scheint den Kraken neugierig zu machen.

»Was frisst du da?«

Lilli zögert und ein Lächeln huscht über ihr Gesicht. Sie lässt sich scheinbar genüsslich die Perle auf der Zunge zergehen und antwortet: »Ach, das sind nur Liebesperlen. Nichts für Kraken.«

»Liebesperlen?«

»Wenn man genug davon lutscht, verlieben sich die Leute in einen. Wart's ab, gleich wirst du dich in mich verlieben.« Lilli tut so, als ob sie noch eine Perle nachschieben würde, und lutscht hingebungsvoll.
»Das glaubst du ja selbst nicht. Obwohl ... Ich hab euch wirklich gern – ich habe alle zum Fressen gern!« Der Krake lacht über seinen eigenen Witz so heftig, dass sein verfressener Quaddelbauch noch hässlicher schwabbelt.
»Wart's nur ab, bis der Zauber wirkt«, sagt Lilli.
»Bei mir wirkt der Zauber bestimmt nicht, aber wie heißt es in der alten Krakenweisheit? Vor dem Essen, nach dem Essen, sollst du fressen, fressen, fressen! Also gib mir trotzdem so eine Liebesperle!«, befiehlt der Krake unvermittelt.

»Komm doch und hol sie dir!«, reizt Lilli und bemüht sich besonders unachtsam zu wirken.

»Wieder dieser blöde Weglocktrick! Ich sag dir doch, ich fall auf so was nicht rein!«

Also schiebt sich Lilli erneut scheinbar eine Liebesperle in den Mund und fragt.

»Was bekomme ich, wenn ich dir eine zum Probieren gebe?«

Der Krake, der immer neugieriger und verfressener wird, antwortet: »Dann schenk ich dir dein Leben!«

»Das ist nicht genug. Du müsstest die Schleuse freigeben.«

»Aber nicht für eine Perle, da müsstest du schon deinen ganzen Vorrat herausrücken!«

»Und dann lässt du wirklich alle frei?«

»Aber klar! Los, gib schon her!«

»Und du machst das Tor wirklich frei? Versprochen?!«

»Versprochen. Jetzt mach schon!«

Ungeduldig wedelt der Krake mit seinen vielen Armen Lilli vor der Nase herum, bis Lilli tatsächlich die Blubberperlen herausrückt. Vier Hände voll. Gierig stopft der Krake eine nach der anderen in sich hinein.

»Nicht zu viel!«, mahnt Lilli. »Ich merke schon, wie der Liebeszauber zu wirken

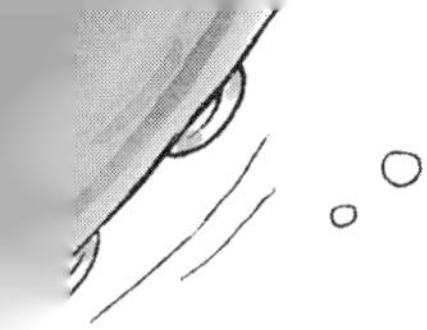

beginnt. Am liebsten möchte ich zu dir kommen und dir einen Kuss geben.«
»Komm nur, komm nur!«, lacht der Krake hämisch und lässt alle übrigen Perlen auf einmal in seinem Maul verschwinden.
»Aber zuerst musst du wie versprochen die Schleuse freigeben.«
»Für wen hältst du mich?«, prustet der Krake. »Du, du bist ja noch blöder als die blödeste Oberblödmoräne! Du glaubst doch nicht im Ernst, dass ich mein Versprechen halte?«
»Aber der Liebeszauber!«, stottert Lilli – und schauspielert wirklich gut. »Ich spüre, wie er wirkt. Du hast zu viele Perlen im Mund. Ich kann nicht mehr widerstehen! Ich muss dich einfach küssen!«
»Komm nur! Komm nur!«, freut sich der Krake und Lilli sieht, wie das Quaddelvieh sich langsam aufzublähen beginnt. Da-

rum sagt sie: »Aber bitte nicht so heftig kauen, sonst wird der Zauber noch stärker und alle Meerestiere werden angelockt, weil sie dich auch küssen wollen.«
»Nur her damit!«, prustet der Krake und kaut und würgt aus Leibeskräften. Immer dicker bläht sich sein Kopf und schließlich der ganze Leib. Lillis Rechnung scheint aufzugehen, aber der Krake ist immer noch ahnungslos und freut sich auf sein Schlemmermahl. Er kaut und blubbert in gieriger Erwartung. Dann ist es endlich so weit. Der Krake ist so voller Luft gebläht, dass er langsam wie ein Heißluftballon nach oben zu steigen beginnt.

Verzweifelt versucht er sich mit seinen Saugnäpfen unten am Schleusengitter festzuklammern. Aber es gelingt nicht. Er kann sich nicht mehr halten, weil er einfach zu viel Luft im Bauch hat.

»Aber wo schwebst du denn hin?«, ruft Lilli ihm hämisch hinterher. »Bleib doch hier unten, damit ich dich küssen kann!«

Aber das hört der Krake schon nicht mehr. Er rudert wild und kämpft mit der Riesenladung Luft im Bauch. Mehr Zeit für Schadenfreude gönnt Lilli sich nicht, schließlich wartet noch eine wichtige Aufgabe auf sie.

»Galopp!«, ruft sie und Avantilos weiß sofort, wohin die Reise geht. Schnell sind die schwächsten Turteldromper auf den

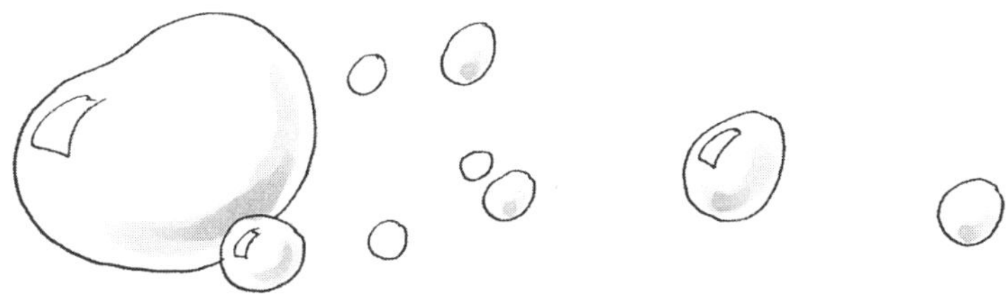

Sattel gehoben. Auf dem Rückweg zur Schleuse kommen Lilli bereits die Aquanauten auf ihren Seepferdchen entgegengeritten, um die zurückgelassenen Wasserschildkröten nach Atlantis zu holen. Sie winken Lilli schon von weitem zu und jubeln und jauchzen, dass man es meilenweit hört und viele Meeresbewohner angeschwommen kommen, um zu dem Sieg zu gratulieren. Das ist ein Fest!

»Wird der Krake platzen?«, will Lilli von der Frau mit der sanften Stimme wissen, als sie später alle im Alting bei einem Glas köstlicher Algenbrause zusammensitzen.

»Aber nein«, wird Lilli beruhigt. »Er wird wohl eine Weile Bauchschmerzen haben. Das verspreche ich dir, so wahr ich Vivian heiße.«

»Und er wird bestimmt nicht wieder zur

Schleuse zurückkehren«, ergänzt der Bärtige. »Dazu sind Kraken zu feige. Trotzdem sind unsere Leute dabei, den Schleuseneingang zur Sicherheit mit Seegurkenschleim zu beschmieren. Daran finden die Saugnäpfe keinen Halt mehr. Man lernt eben nie aus, auch in ein paar tausend Jahren nicht . . .«

»Wir zwei sollten uns aber schon bald die Zeit nehmen, in Ruhe miteinander zu reden«, sagt Vivian und legt ihren Arm um Lillis Schulter. »Ich habe da viele Fragen . . .«

Bei dem Stichwort »Zeit« schaut Lilli auf ihre Armbanduhr und sieht mit Schrecken, dass auch ihre Zeit abgelaufen ist. Sie muss zurück, bevor Mama und Leon etwas bemerken. Wie kommt sie nur

möglichst schnell hier weg, ohne noch schwierige Fragen beantworten zu müssen? Kurz entschlossen steht sie auf und sagt: »Dringende Aufgaben warten auf mich. Ich muss euch leider schnell verlassen. Aber ich werde wiederkommen . . . Versprochen.«

»Warte, ich komme mit!«, ruft Vivian und will Lilli folgen. Aber der Bärtige hält sie sanft zurück.

»Du weißt doch, Schamanen gehen ihre eigenen Wege . . .«

Am Stadttor steckt Lilli den Dreizack zurück ans Wappen. Zu gern hätte sie ihn als Andenken mitgenommen. Aber wie sollte sie das erklären?

Im Laufschritt erreicht sie die Blumensümpfe. Hier ist sie unbeobachtet. Sie wirft noch einen letzten wehmütigen

Blick auf Atlantis und seufzt: »Ich komme wieder, Atlantis. Ich komme wieder. So wahr ich Lilli heiße . . .« Dann drückt sie ihr Stoffmäuschen ans Herz und setzt zum Hexensprung an.

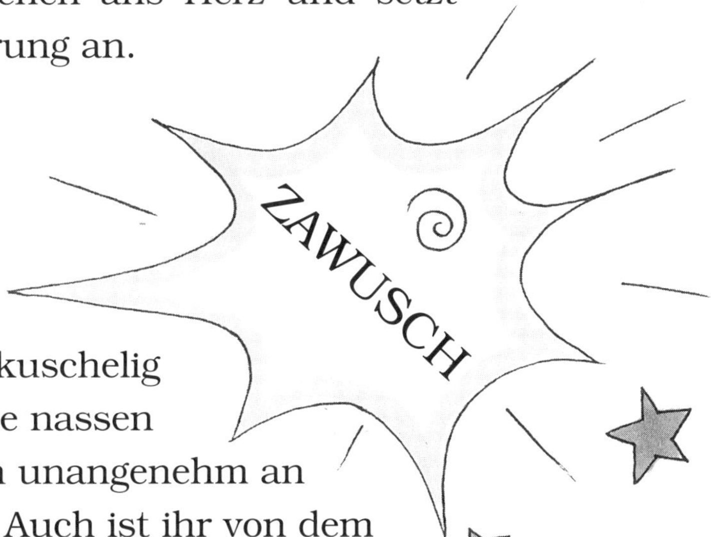

Im Bett ist es kuschelig warm, doch die nassen Sachen kleben unangenehm an ihrem Körper. Auch ist ihr von dem Hexensprung noch ein wenig schwindelig. Trotzdem springt Lilli sofort auf, um nach draußen zu rennen. Sie muss wissen, was aus der Orpheustreppe im Garten geworden ist.

Nicht dass irgendwer den Zugang benutzt und sich in Gefahr begibt. Aber Mama fängt Lilli im Flur ab.
»Was machst du denn? Um diese Zeit schon auf? Und deine Sachen, die fühlen sich ja ganz feucht an.«
»Ich hab . . . ich bin . . . ich bin Atlantisforscherin, und um mich an die Nässe zu gewöhnen, hab ich schon mal geübt und mit Anziehsachen geduscht!«
»Auf was für Ideen du kommst«, lacht Mutter. »Aber jetzt ab in dein Zimmer und trockene Sachen angezogen, bevor ich zur Haushaltsgeräteforscherin werde und dich durch den Wäschetrockner nudle!«

Hektor,
Lillis Freund und Experte für
Magisches und Zauberei
präsentiert:

Basteltrick
Glitzerkugel »Atlantis«

Als kleines Andenken an ihr Abenteuer bastelt sich Lilli eine echte Atlantis-Glitzerkugel. Probier es aus, das ist ganz einfach:

Als Basis brauchst du ein leeres Marmeladenglas. Such dir eines, das möglichst schön durchsichtig ist, und wichtig: Der Deckel muss gut schließen. Dann suchst du dir verschiedene kleine Figuren, die du in deine Welt tauchen willst. Denk daran, die Phantasie der Aquanauten kennt keine Grenzen. Alles ist erlaubt, nur wasserfest muss es sein!

Mit wasserfestem Kleber baust du deine Phantasiewelt auf der Innenseite des Marmeladenglasdeckels auf. Wenn der Kleber gut ausgehärtet ist, brauchst du nur noch Schwebestoffe, die auf deine Welt schneien. Gut geeignet sind Goldglitzer oder Glittersternchen. Die bekommst du in der Drogerie oder im Bastelladen. Nun das Glas knapp randvoll mit Wasser füllen und den Glitzer reinstreuen.

Damit deine Unterwasserwelt auch ganz dicht bleibt, kannst du zur Sicherheit das Schraubgewinde noch mit Kleber einstreichen, bevor du den Deckel auf das Glas schraubst. Jetzt nur noch umdrehen, staunen und dich in deine Welt träumen!

Hektor,
Lillis Freund und Experte für
Magisches und Zauberei
präsentiert:

Atlantischer Unterwassertrick

Du wettest mit einem Partner, dass du ein Stück Papier in einem offenen Behälter unter Wasser tauchen wirst, ohne dass es nass wird. Vertraue Lilli, du wirst die Wette gewinnen!
Die Spielregeln: Jeder von euch schreibt ein großes Versprechen auf ein Stück Papier. Das ist euer Wetteinsatz. Wer die Wette verliert (das wird garantiert dein Wettpartner sein!), muss sein Versprechen einlösen.
Und wie gewinnst du die Wette? Du zerknüllst das Blatt Papier mit den Wetteinsätzen und stopfst es tief in ein hohes Glas. Das Papier sollte nicht herausfallen können. Wie ein Profizauberer machst du nun etwas Hexenbrimborium.

Nun drehst du das Glas mit dem darin steckenden Papier um und tauchst es schnell und ganz gerade ins Wasser. Du wirst sehen: In dem Glas bildet sich eine Luftblase, das Papier bleibt staubtrocken und du kannst dir deinen Gewinn einstreichen!

Viel Vergnügen mit der Hexe Lilli!

Seit Lilli das Zauberbuch hat, gerät sie von einem Abenteuer in das andere. Jeder Band enthält viele Bilder und **echte Zaubertricks** zum Nachzaubern!

Hexe Lilli stellt die Schule auf den Kopf
Hexe Lilli macht Zauberquatsch
Hexe Lilli und der Zirkuszauber
Hexe Lilli bei den Piraten
Hexe Lilli und der Weihnachtszauber ★
Hexe Lilli wird Detektivin
Hexe Lilli im wilden Wilden Westen
Hexe Lilli und das wilde Indianerabenteuer
Hexe Lilli im Fußballfieber
Hexe Lilli und das Geheimnis der Mumie
Hexe Lilli und das Geheimnis der versunkenen Welt
Hexe Lilli und das magische Schwert
Hexe Lilli auf Schloss Dracula
Hexe Lilli auf der Jagd nach dem verlorenen Schatz
Hexe Lilli und der Ritter auf Zeitreise
Hexe Lillis geheime Zauberschule
Hexe Lilli Fan-Artikel (Stempel, Computerspiel …)

☛ Die Hexe-Lilli-Geschichten gibt es auch auf Kassette und Cd von Igel Records und BMG!

Arena

★ KNISTER ★ ★ im INTERNET! www.knister.com ★ ★ KNISTER ★ ★ im INTERNET! www.knister.com ★ ★ KNISTER ★

★KNISTER ★ im INTERNET! www.knister.com ★ KNISTER ★ im INTERNET! www.knister.com★ ★

★ KNISTER ★ ★ im INTERNET! www.knister.com ★ ★ KNISTER ★ ★ im INTERNET! www.knister.com ★ ★ KNISTER ★

Entdecke Hexe Lilli!

Für alle Hexe Lilli-Fans und deren Freunde und Freundinnen!

Dieses supergeheime Schulfreundebuch ist nur für Hexe Lilli-Fans und allerbeste Freunde! Auf vielen witzig und abwechslungsreich gestalteten Seiten ist Platz für persönliche Eintragungen, Lieblingssprüche, Hobbys und was man sonst noch so über sich erzählen mag. Und von Hexe Lilli gibt es dazu viele überaus nützliche Tipps für alle, die in der Schule den Durchblick haben wollen.

96 Seiten. Gebunden. Vierfarbiger, wattierter Umschlag mit UV-Lackierung. Mit Geburtstagskalender

Für große Geheimnisse und kleine Träumereien ...

Deine geheimsten Träume, deine schönsten Erinnerungen, deine schlimmsten Stunden, deine peinlichsten Momente, deine verrücktesten Schwärmereien und deine schuftigsten Taten darfst du diesem Tagebuch anvertrauen. Außer Gedanken und Gefühlen kann du auch deinen ersten Liebesbrief, besondere Eintrittskarten oder eine wertvolle Haarlocke aufzubewahren, denn dieses Tagebuch hat eine einzigartige Geheimschublade! Und natürlich ist beides - Buch und Schublade - abschließbar!

160 Seiten. Gebunden. Vierfarbiger, wattierter Umschlag mit UV-Lackierung. Schuber mit Geheimschublade, Schlüssel und Schloss.

Nur für allerbeste Freundinnen!

Liebste Freundinnen, aber auch Kumpels, Omas, Opas, Tanten, Onkel können sich hier verewigen. 200 Seiten mit zarten rosa Lilli-Motiven stehen zur Verfügung. Und auf der ersten Seite hat Hexe Lilli persönlich ihre Widmung eingetragen.

200 Seiten. Gebunden. Vierfarbiger, wattierter Umschlag mit UV-Lackierung.

Arena

★ ★ KNISTER ★ Jetzt auch im INTERNET! www.knister.com ★ KNISTER ★ Jetzt auch im INT